Street by Street

WARRINGTON

LYMM, RISLEY, NEWTON-LE-WILLOWS

Appleton Thorn, Burtonwood, Croft, Culcheth, Oughtrington, Penketh, Stretton, Winwick, Woolston

2nd edition November 2005
© Automobile Association Developments Limited 2005

Original edition printed May 2002

Ordnance Survey® This product includes map data licensed from Ordnance Survey® with the permission of the Controller of Her Majesty's Stationery Office. © Crown copyright 2005. All rights reserved. Licence number 399221.

Published by AA Publishing (a trading name of Automobile Association Developments Limited, whose registered office is Fanum House, Basing View, Basingstoke, Hampshire RG21 4EA. Registered number 1878835).

Mapping produced by the Cartography Department of The Automobile Association. (A02417)

A CIP Catalogue record for this book is available from the British Library.

Printed by GRAFIASA S.A., Porto, Portugal

The contents of this atlas are believed to be correct at the time of the latest revision. However, the publishers cannot be held responsible or liable for any loss or damage occasioned to any person acting or refraining from action as a result of any use or reliance on any material in this atlas, nor for any errors, omissions or changes in such material. This does not affect your statutory rights. The publishers would welcome information to correct any errors or omissions and to keep this atlas up to date. Please write to Publishing, The Automobile Association, Fanum House (FH17), Basing View, Basingstoke, Hampshire, RG21 4EA.

Ref: ML200z

Key to map pages	ii-iii
Key to map symbols	iv-1
Enlarged map pages	2-3
Main map pages	4-35
Index – towns & villages	36
Index – streets	36-42
Index – featured places	42-43
Acknowledgements	43

ii

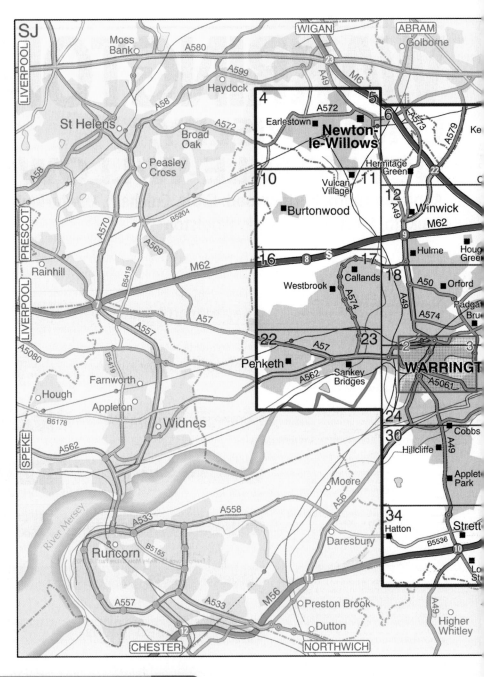

SJ

LIVERPOOL

Moss Bank

A580

WIGAN

ABRAM

Golborne

A599

Haydock

St Helens

A58

A58

Broad Oak

A572

Peasley Cross

A570

A569

PRESCOT

B5204

M6

A49

22

M6

A572

Earlestown

4

Newton-le-Willows

A573

A579

5

6

Ke

Hermitage Green

11

10

Vulcan Village

Burtonwood

A49

12

Winwick

M62

9

Rainhill

LIVERPOOL

B5419

M62

7

A557

16

8

S

17

Westbrook

Callands

A574

18

Hulme

Houg Gree

A50

Orford

A49

Padga Bru

A574

SPEKE

A5080

B5419

Farnworth

Hough

Appleton

B5178

A562

Widnes

A533

A558

A562

22

Penketh

A57

A562

23

Sankey Bridges

2

WARRINGT

3

A5061

24

30

Hillcliffe

A49

Cobbs

Applet Park

River Mersey

Moore

A56

A533

B5155

Runcorn

Daresbury

34

Hatton

B5536

Strett

10

Lo St

A557

A533

M56

11

Preston Brook

A49

Higher Whitley

12

CHESTER

Dutton

NORTHWICH

Enlarged scale pages 1:10,000 6.3 inches to 1 mile

0   1/4   miles   1/2

0   1/4   1/2   kilometres   3/4   1

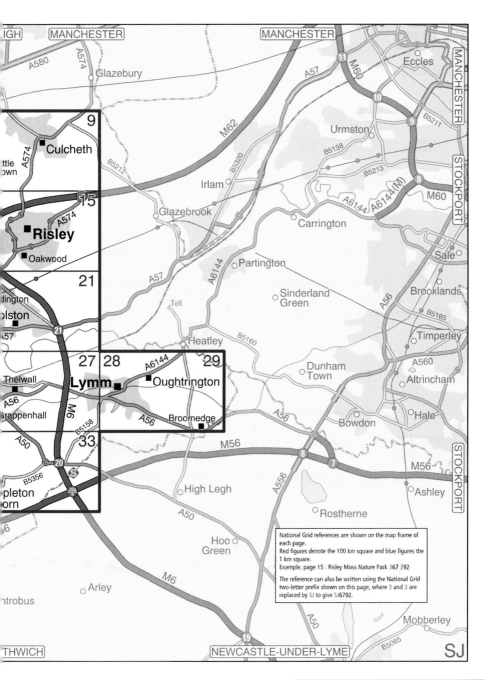

National Grid references are shown on the map frame of each page.
Red figures denote the 100 km square and blue figures the 1 km square.
Example, page 15 : Risley Moss Nature Park 367 392

The reference can also be written using the National Grid two-letter prefix shown on this page, where 3 and 3 are replaced by SJ to give SJ6792.

4.2 inches to 1 mile | **Scale of main map pages** | 1:15,000

miles
0   1/4   1/2   3/4   1

kilometres
0   1/4   1/2   3/4   1   1 1/4   1 1/2

Junction 9	Motorway & junction	⊖ Light railway & station	
Services	Motorway service area	+++++++++ Preserved private railway	
	Primary road single/dual carriageway	*LC* Level crossing	
Services	Primary road service area	●—●—●—● Tramway	
	A road single/dual carriageway	---------- Ferry route	
	B road single/dual carriageway	.... Airport runway	
	Other road single/dual carriageway	— · — · — · — County, administrative boundary	
	Minor/private road, access may be restricted	ꝟꝟꝟꝟꝟꝟ Mounds	
← ←	One-way street	**17** Page continuation 1:15,000	
	Pedestrian area	**3** Page continuation to enlarged scale 1:10,000	
============	Track or footpath	River/canal, lake, pier	
	Road under construction	Aqueduct, lock, weir	
[- - = = {	Road tunnel	465 ▲ Winter Hill Peak (with height in metres)	
P	Parking	Beach	
P+	Park & Ride	Woodland	
	Bus/coach station	Park	
	Railway & main railway station	† † † † † Cemetery	
⇌	Railway & minor railway station	Built-up area	
⊖	Underground station	Featured building	

⊓⊓⊓⊓⊓⊓	City wall		♟	Castle
A&E	Hospital with 24-hour A&E department		🏛	Historic house or building
PO	Post Office		Wakehurst Place NT	National Trust property
📖	Public library		🏛	Museum or art gallery
𝒊	Tourist Information Centre		🦅	Roman antiquity
𝒊	Seasonal Tourist Information Centre		⚊	Ancient site, battlefield or monument
🗓🗓	Petrol station, 24 hour Major suppliers only		🏭	Industrial interest
†	Church/chapel		❋	Garden
🚻	Public toilets		◉	Garden Centre Garden Centre Association Member
♿	Toilet with disabled facilities		🌱	Garden Centre Wyevale Garden Centre
PH	Public house AA recommended		🌳	Arboretum
🍴	Restaurant AA inspected		🛒	Farm or animal centre
Madeira Hotel ◢	Hotel AA inspected		🦌	Zoological or wildlife collection
🎭	Theatre or performing arts centre		🦜	Bird collection
👥	Cinema		🐋	Nature reserve
⚑	Golf course		🐟	Aquarium
▲	Camping AA inspected		V	Visitor or heritage centre
🚐	Caravan site AA inspected		♔	Country park
▲🚐	Camping & caravan site AA inspected		◓	Cave
🎢	Theme park		⚒	Windmill
⛪	Abbey, cathedral or priory		🛢	Distillery, brewery or vineyard
			IKEA	IKEA store

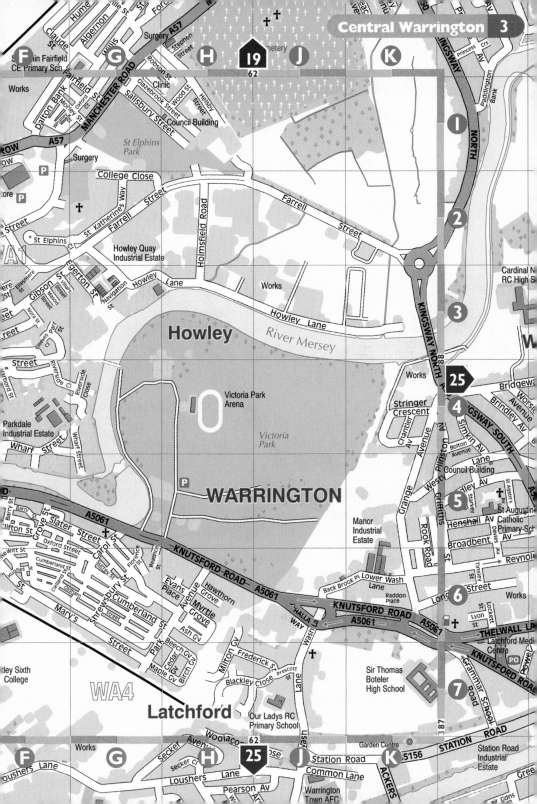

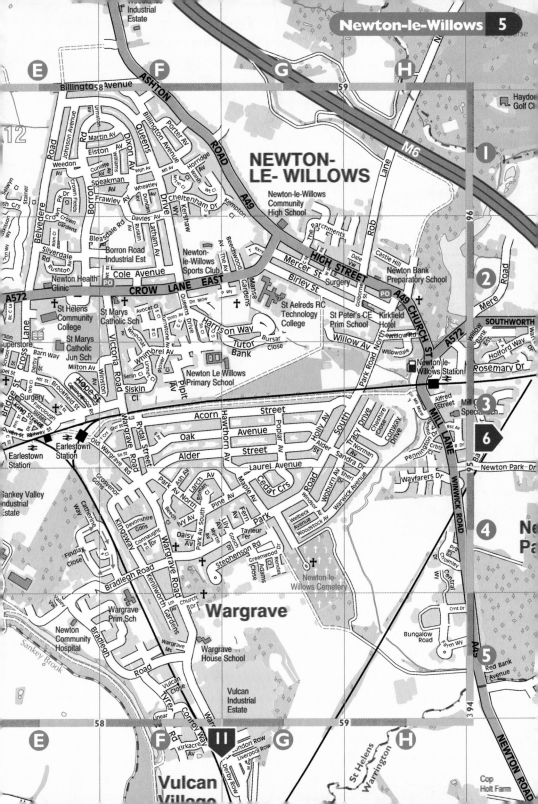

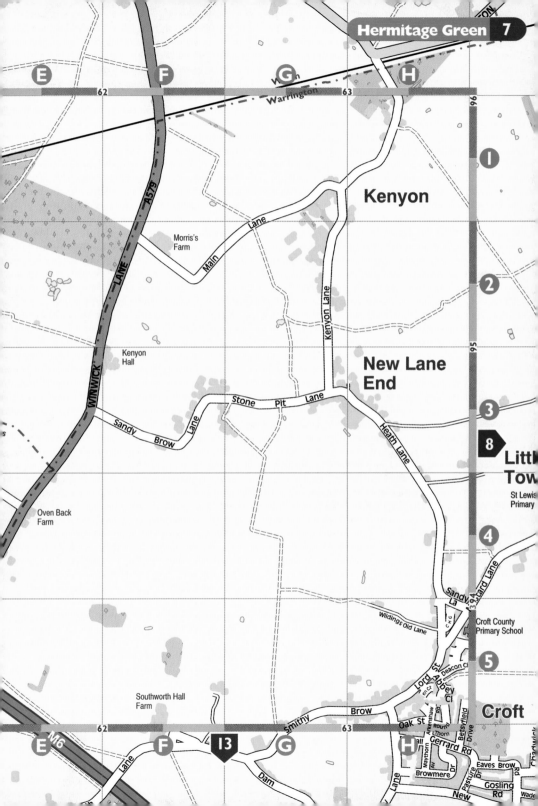

E   F   G   H

62   Warrington   63   96

I

Kenyon

2

Main Lane

Morris's Farm

Kenyon Lane

95

Kenyon Hall

WINWICK LANE A579

New Lane End

3

Stone Pit Lane

Sandy Brow Lane

8 Littl Tow

Heath Lane

St Lewis Primary

Oven Back Farm

4

Sandy Ln

39 Stretard Lane

Wildings Old Lane

Croft County Primary School

CHC

5

Lord St

Deacon Cl

Abbey Cl

Croft

Southworth Hall Farm

Smithy Brow

Oak St

Gerrard Rd

62   63

M6   Lane

E   F   13   G   H

Dam

Browmere Dr

Eaves Brow

Gosling Rd

New

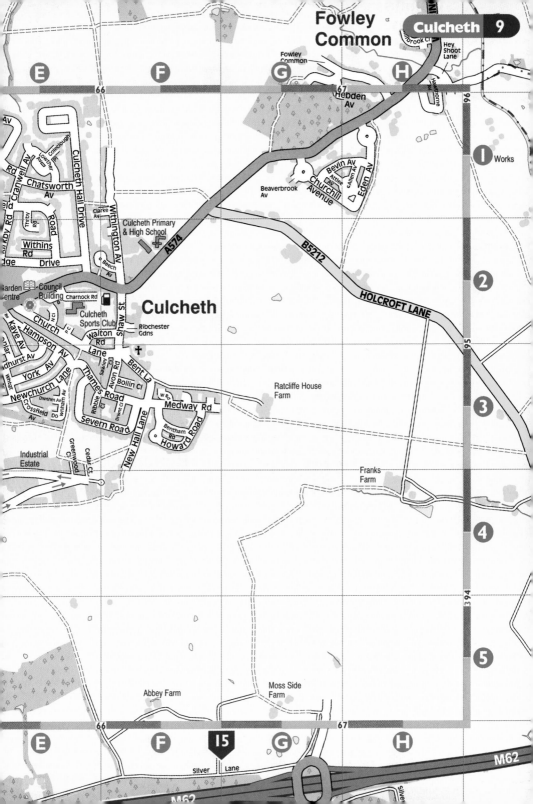

Newton Community Hospital

Bradlegh

Road

Wargrave Ms

Wargrave House School

Vulcan Close

Conroy Way

Wargrave Rd

Linear Vw

Kirkacre Av

Vulcan Industrial Estate

5

London Row

Liverpool Row

Derby Row

Vulcan Village

Bungalow Road

Red Bank Avenue

NEWTON ROAD

Holt Farm

I

St Helens Warrington

E 58 **F** 59 **G** 94 **H**

I

Hall Lane

Hall Lane

Red House Farm

Alder Root

Alder Root Golf Club

Golf Course

93

2

Alder Lane

Alder Lane

Watery Lane

Hollins

ne

3

I2

Warrirington Community Health Care

Cer

Mill Lane

4

3 92

Delp

M62

Works

5

Craven Ct

Mill Lane

tonwood Service Area

E 58 **F** 59 **G** **H**

Gemini

Taurus Park

IKEA

I7

Europa

Superstore

Superstore

Gemini Business Park

Welcome Lodge

Superstore

Europa Boulevard

Europa Boulevard

Sankey Brook

Sankey Brook

E F 9 Moss Side G H

Abb... Farm

M62

Silver Lane

M62

Junction 11

Silver Lane

93

Industrial Estate

Leacroft Road

Industrial Estate

Gorse Covert

2

Hoyles Moss Farm

...ton
Road
Raglan
Melbury Ct

...y

...enue

Heaton Court

Risley Rd

Kelburn Ct
Daren Av
Adington
Adington
Adington Ct
Adlington Ct

Ravenhurst Ct

Cavendish Pl

...ule Street

45th Av

BIRCHWOOD WAY A574

Trinty Ct

Moss Gate

Bramshill

Fisherfield Drive

Applc Cl

Applc Cl

Appltc Cl

Bng Cl
A Cl
C Cl
With

Crs
Flrwy Cl

Adlewood Cl

Hamterley

Arden Cl

Stanmore

Rndlshm Cl

PO

Covert

Gorse Covert
Prim Sch

Gorse Covert Rd

W Cl

Gorse

Covert

Falstone

Darnaway

Woolmer Cl

Road

Haydrough Close

Rockingham Cl

Rd

Inglewood Cl
Greenwood Cl

School Lane

92

Gorse

Covert

Ashdown La
Langwell Cl

Gilderdale Cl

B Cl

...lingwood

3

Dalby Close

Killingworth Lane

Ordnance Avenue

Risley Moss Nature Park

4

...shank La

Admirals Road

Keyes

Kys Cl

Pheasant Cl

Redshank Cl

Dove Cl

Darley Cl

Mansfield Cl

Jay

Birchwood CE Prim Sch

...nat Dr

...allard La

PO

...allard
GV
Teal

Admirals Rd

Halliday

Chaffinch Cl

McCarthy

Palliser Cl

Pennant Close

Ashmore Cl

Lyster Cl

Burrough

Miles Cl

Rawlings Cl

...Woodhouse Close

Prospect Farm

5

Prospect

391

Rixton Moss

Woodend

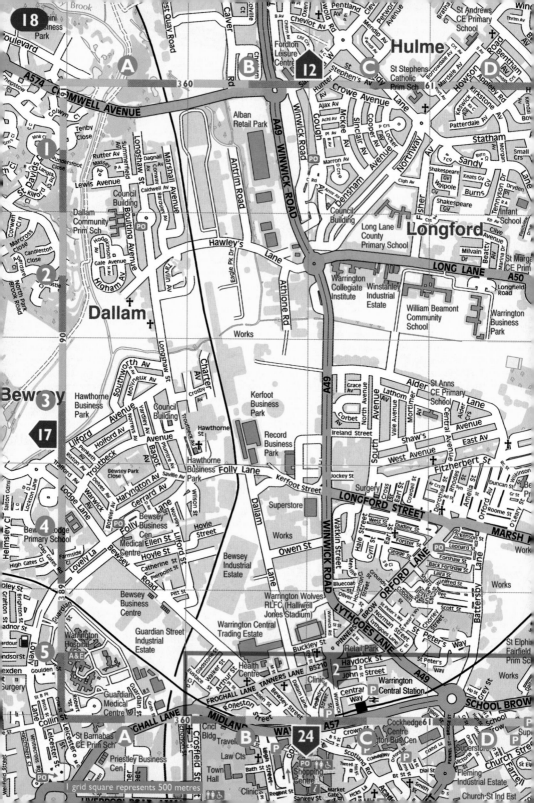

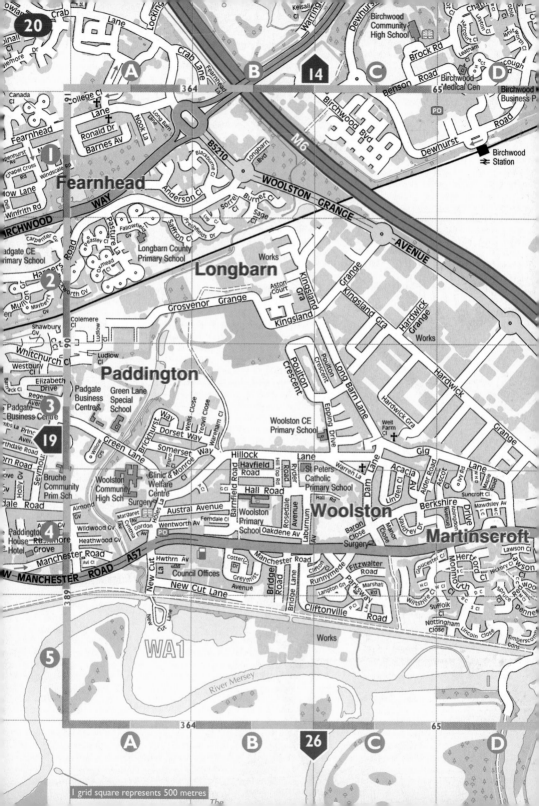

Prospect

Prospect

E   F   15   G   H

66   67   91

Rixton Moss

Woodend

I

Woodhouse Close

Admiral Gv
Halliday Cl
Ashmore Cl
Pennant Close
Burrough Cl
Miles Cl
Lyster Cl
Rawlings Cl

Woolston Moss

Marshall's Farm

Holly Bush Lane

Green Alley Farm

2

90

3

Nicol Av

Juniper Lane

Brook Lane

GRANGE AVENUE

B5210

M6

Grange

Council Buildings

Holiday Inn

Manchester Road

A57

MANCHESTER ROAD

Brookside Farm

4

389

Junction 21

Tarn Ct

Crossdale

Battery Lane

River

Premier Travel Inn

River Mersey

5

E   F   27   G   H

66   67

Golf Course

Staf

Lymr

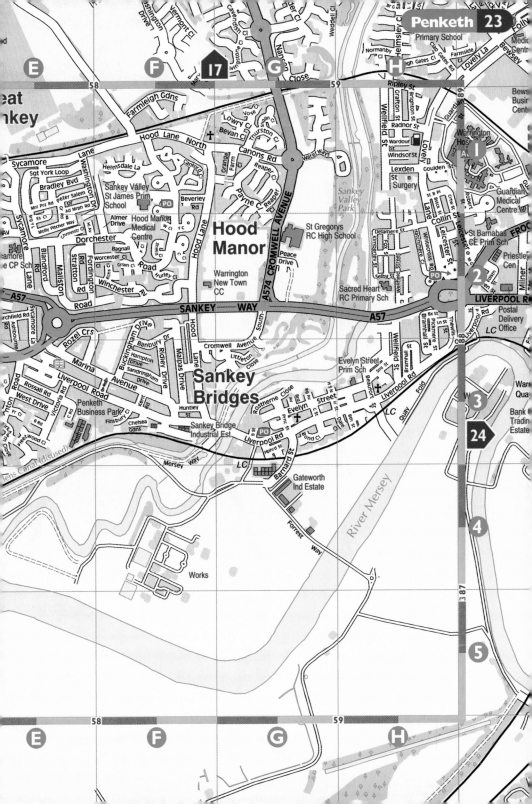

E   F   **21**   G   H

66   67

I

Golf Course

Lymm
Golf C

Thelwall
Viaduct

M6

Statha

2

PO

Laskey
House

Laskey
La

Brookside AV

Pool Lane

Oldfield
Rd

Whitbarrow
Rd

Whitbarrow Road

Star Lane

Whitesands Rd

Heath

Albany
GV

Road

Avenue

M ROAD

Warrington Road

Warrington   Road

Statham
Primary
School

Jubilee Grove

Turnberry

Albany

Statham Dr

Statham

wall

A56

Deans Lane

CAMSLEY LANE A56

Lymmington Av

Field Brow

Statham

3

Mos

28

PO

Thornley Rd

John Rd

David Rd

Booth's Hill La

Daisy Bank

Oak Rd

Ash

W Hyde

Barton

Grove

Newfield Rd

C T AV

BOOTH'S HILL ROAD

Wychwood Av

Egerton Rd

Old Smithy

ELM   TREE

4

Massey Hall
School

Massey Brook Lane

Beech Av

Massey Av

Works

Highfield Road

Heyes Dr

Lyme Av

Hardy Road

Elm Av

Hunts Fie
Cl

Weaste Lane

Booth's Lane

Cherry Tree
Primary School

Hilltop Rd

Highfield Dr

Cherrylane
Farm

Lane

Cinder Lane

Thelwall
Grange

Massey Brook

Booth's Lane

5

The Avenue

Higherhouse
Farm

E   F   **33**   G   H

66   67

M6

3 86

CHERRY

Cherry Hall
Farm

LANE

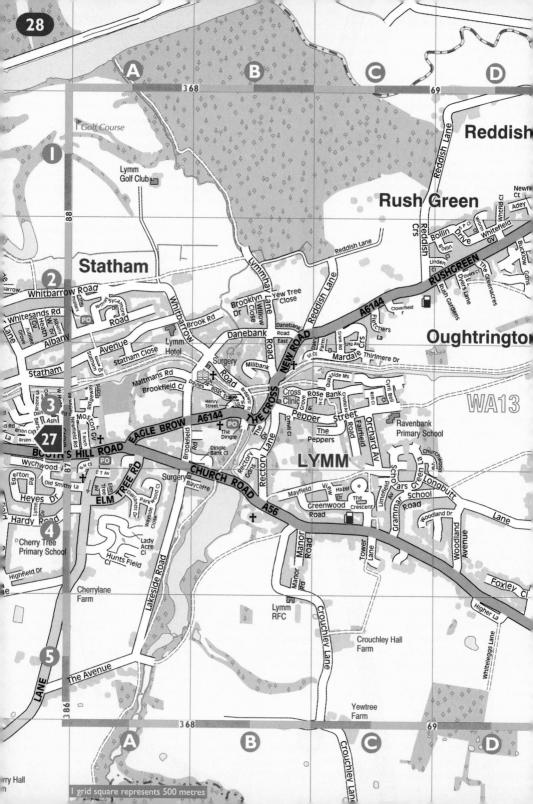

Carr Gre

Carrgreen

E

F

G

H

I

2

3

4

5

70

71

88

87

386

PH

Old Mi Ct

Trafford

Warrington

BIRCH BROOK

BIRCH BROOK ROAD

B5159

MILL LANE

Rushes Md

Moore Springfield Gv

Springbank Gdns

Carlton Rd

Millers Lane

Works

Orchard Rd

Sandy

Cedarfield Road

A.C.

Birchfield

Lovatt Ct

PO

Hopefield A Rd

Wdton Rd

Church Moss

Richmond Drive

rrington ew

+

ghtrington mary hool

White Broom

Oughtrington Crescent

The Paddock

Crown Gn

Stage Lane

Bridgewater Canal

Heatley

Wet Gate Lane

Wet Gate Farm

Little Heatley

Oak Villa Farm

Bradshaw Works

Lane

Spring Lane

Cheshire County Warrington

Warrington Lane

mm gh School

B5159

BURFORD LANE

Burfordlane Farm

Warrington Lane

Agden Bri Farm

Broomedge

The Drive

Agdenlane Farm

Agden Lane

A56

Agden Bro Farm

Agden Brow

A56

Woodside Lane

HIGHER LANE

Agden Brow Park

Hillside

Parkview Pk

A56

AGDEN BROW

E

F

PO

LECH ROAD

Park Road

G

H

70

71

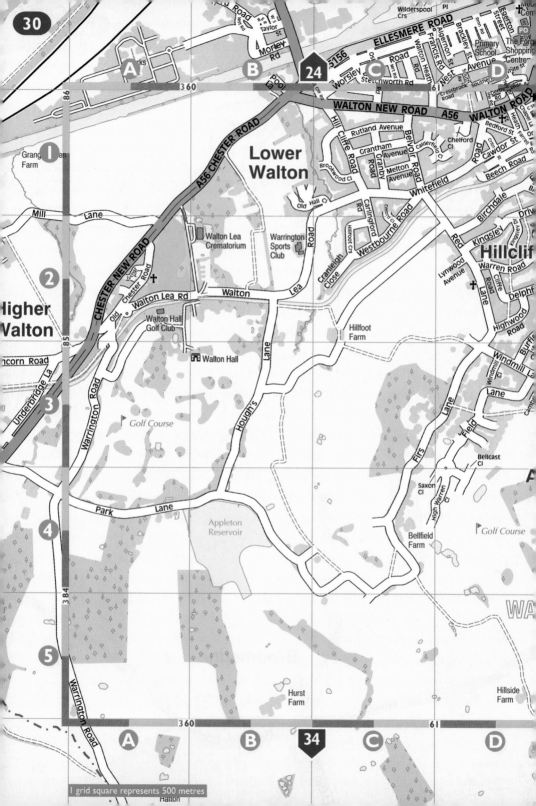

32

Church Lane

Primary School

Laurel Bank

Bellhouse

Parrs Wd View

Canal Side

Canal Side

Australia Lane

A50

Lane

Grappenhall Hall School

A

Canal Side

B

26

C

KNUTSFORD ROAD

D

Grappenhall CC

86

3 64

Bourchier Wy

1

Broad Lane

Hall Lane

Whitehouse Farm

Broad Lane

Grappenhall Heys

Dashwood Cl

Lichfield Av

Strickland

Chichester Cl

Croft Gdns

Yew Tree Farm

Avenue

2

85

Cul

Dr

Keeper's Rd

field Dr

Broad Lane

Reddish Hall

Cliffla Farm

3

Cartridge Lane

GRAPPENHALL

31

B5356

B5356

Appleton Thorn Trading Estate

Wright's Green

New Lane

Lumb Brook Road

4

Ashberry Drive

Thorntree Green

GRAPPENHALL LANE

Yew Tree La

Appleton Thorn

Booth's Farm

Barleycastle Lane

Villagate

Lyncastle Way

Langford Way

G 64

Lane

Green Lane

B5356

St Cross

Crofton Close

Parkland Cl

HM Young Offenders Institute

Barleycastle Trading Estate

Lyncastle Road

Greenlane Farm

5

ap Road

PO

Hatchery Close

Chapel Lane

Marsh Rd

Arley Rd

Old Farm

Burley Lane

Cross Farm

Amberleigh

Appleton Thorn Primary School

65

M56

A

Barley Castle Close

3 64

B

C

D

Pepper Street

I grid square represents 500 metres

Appleton Park....30 D4
Appleton Thorn....32 B4
Bewsey....17 H4
Birchwood....14 D4
Blackbrook....19 F1
Broomedge....29 G5
Bruche....19 G4
Burtonwood....10 C5
Callands....17 G2
Cinnamon Brow....13 H4
Cobbs....31 E1
Collins Green....8 A5
Croft....8 A5
Culcheth....9 F2

Dallam....18 A2
Dudlows Green....31 F4
Earlestown....4 C3
Fearnhead....13 H1
Gemini....17 G1
Gorse Covert....15 G2
Grappenhall....26 A4
Great Sankey....23 E1
Hatton....34 A3
Heatley....29 G1
Hermitage Green....6 C5
Hillcliffe....30 D2
Hood Manor....23 F2
Houghton Green....13 F3

Howley....3 H3
Hulme....12 C5
Kenyon....7 H1
Kingswood....16 D2
Latchford....3 G7
Lingley Mere....16 A4
Little Town....8 A3
Locking Stumps....14 A4
Longbarn....20 B2
Longford....18 C2
Lower Stretton....35 F4
Lower Walton....30 B1
Lymm....28 B3
Martinscroft....20 C4

New Lane End....7 H3
Newton-Le-Willows....5 G1
Newton Park....6 A3
Oakwood....14 D5
Orford....19 E2
Oughtrington....28 C2
Paddington....20 A3
Padgate....19 G2
Penketh....22 A3
Pewterspear....35 G1
Reddish....28 D1
Risley....14 D2
Rush Green....28 C1
Sankey Bridges....23 F3

Statham....28
Stockton Heath....3
Stretton....3
Thelwall....2
Vulcan Village....1
Wargrave....4
Warrington....1
Westbrook....1
Westy....3
Wilderspool....3
Winwick....1
Winwick Quay....1
Woolston....2
Wright's Green....3

USING THE STREET INDEX

Street names are listed alphabetically. Each street name is followed by its postal town or area locality, the Postcode District, the page number, and the reference to the square in which the name is found.

Standard index entries are shown as follows:

Abbey Cl *GOL/RIS/CUL* WA3 ....7 H5

Street names and selected addresses not shown on the map due to scale restrictions are shown in the index with an asterisk:

Alamein Crs *WARRN/WOL* WA2 *....18 C4

GENERAL ABBREVIATIONS

ACC....ACCESS
ALY....ALLEY
AP....APPROACH
AR....ARCADE
ASS....ASSOCIATION
AV....AVENUE
BCH....BEACH
BLDS....BUILDINGS
BND....BEND
BNK....BANK
BR....BRIDGE
BRK....BROOK
BTM....BOTTOM
BUS....BUSINESS
BVD....BOULEVARD
BY....BYPASS
CATH....CATHEDRAL
CEM....CEMETERY
CEN....CENTRE
CFT....CROFT
CH....CHURCH
CHA....CHASE
CHYD....CHURCHYARD
CIR....CIRCLE
CIRC....CIRCUS
CL....CLOSE
CLFS....CLIFFS
CMP....CAMP
CNR....CORNER
CO....COUNTY
COLL....COLLEGE
COM....COMMON
COMM....COMMISSION
CON....CONVENT
COT....COTTAGE
COTS....COTTAGES
CP....CAPE
CPS....COPSE
CR....CREEK
CREM....CREMATORIUM
CRS....CRESCENT
CSWY....CAUSEWAY
CT....COURT
CTRL....CENTRAL
CTS....COURTS

CTYD....COURTYARD
CUTT....CUTTINGS
CV....COVE
CYN....CANYON
DEPT....DEPARTMENT
DL....DALE
DM....DAM
DRO....DRIVE
DRO....DROVE
DRY....DRIVEWAY
DWGS....DWELLINGS
E....EAST
EMB....EMBANKMENT
EMBY....EMBASSY
ESP....ESPLANADE
EST....ESTATE
EX....EXCHANGE
EXPY....EXPRESSWAY
EXT....EXTENSION
F/O....FLYOVER
FC....FOOTBALL CLUB
FK....FORK
FLD....FIELD
FLDS....FIELDS
FLS....FALLS
FLS....FLATS
FM....FARM
FT....FORT
FWY....FREEWAY
FY....FERRY
GA....GATE
GAL....GALLERY
GDN....GARDEN
GDNS....GARDENS
GLD....GLADE
GLN....GLEN
GN....GREEN
GND....GROUND
GRA....GRANGE
GRG....GARAGE
GT....GREAT
GTWY....GATEWAY
GV....GROVE
HGR....HIGHER
HL....HILL

HLS....HILLS
HO....HOUSE
HOL....HOLLOW
HOSP....HOSPITAL
HRB....HARBOUR
HTH....HEATH
HTS....HEIGHTS
HVN....HAVEN
HWY....HIGHWAY
IMP....IMPERIAL
IN....INLET
IND EST....INDUSTRIAL ESTATE
INF....INFIRMARY
INFO....INFORMATION
INT....INTERCHANGE
IS....ISLAND
JCT....JUNCTION
JTY....JETTY
KG....KING
KNL....KNOLL
L....LAKE
LA....LANE
LDG....LODGE
LGT....LIGHT
LK....LOCK
LKS....LAKES
LNDG....LANDING
LTL....LITTLE
LWR....LOWER
MAG....MAGISTRATE
MAN....MANSIONS
MD....MEAD
MDW....MEADOWS
MEM....MEMORIAL
MKT....MARKET
MKTS....MARKETS
ML....MALL
ML....MILL
MNR....MANOR
MS....MEWS
MSN....MISSION
MT....MOUNT
MTN....MOUNTAIN
MTS....MOUNTAINS
MUS....MUSEUM

MWY....MOTORWAY
N....NORTH
NE....NORTH EAST
NW....NORTH WEST
O/P....OVERPASS
OFF....OFFICE
ORCH....ORCHARD
OV....OVAL
PAL....PALACE
PAS....PASSAGE
PAV....PAVILION
PDE....PARADE
PH....PUBLIC HOUSE
PK....PARK
PKWY....PARKWAY
PL....PLACE
PLN....PLAIN
PLNS....PLAINS
PLZ....PLAZA
POL....POLICE STATION
PR....PRINCE
PREC....PRECINCT
PREP....PREPARATORY
PRIM....PRIMARY
PROM....PROMENADE
PRINCESS....PRINCESS
PRT....PORT
PT....POINT
PTH....PATH
PZ....PIAZZA
QD....QUADRANT
QU....QUEEN
QY....QUAY
R....RIVER
RBT....ROUNDABOUT
RD....ROAD
RDG....RIDGE
REP....REPUBLIC
RES....RESERVOIR
RFC....RUGBY FOOTBALL CLUB
RI....RISE
RP....RAMP
RW....ROW
S....SOUTH
SCH....SCHOOL

SE....SOUTH E
SER....SERVICE A
SH....SHO
SHOP....SHOPP
SKWY....SKYW
SMT....SUM
SOC....SOC
SP....S
SPR....SPR
SQ....SQUA
ST....STR
STN....STAT
STR....STRE
STRD....STR
SW....SOUTH W
TDG....TRAD
TER....TERRA
THWY....THROUGH
TNL....TUN
TOLL....TOLL
TPK....TURNP
TR....TR
TRL....TR
TWR....TOW
U/P....UNDERP
UNI....UNIVERS
UPR....UPR
V....VA
VA....VAL
VIAD....VIADU
VIL....VI
VIS....VIS
VLG....VILLA
VLS....VIL
VW....V
W....WE
WD....WO
WHF....WHA
WK....WA
WKS....WA
WLS....WE
WY....WA
YD....YA
YHA....YOUTH HOST

POSTCODE TOWNS AND AREA ABBREVIATIONS

GOL/RIS/CUL....Golborne/Risley/Culcheth
KNUT....Knutsford
LYMM....Lymm
NEWLW....Newton-ie-Willows
NWCHE....Northwich east
RNFD/HAY....Rainford/Haydock
STHEL....St Helens
WARR....Warrington
WARRN/WOL....Warrington north/Woolston
WARRS....Warrington south
WARRW/BUR....Warrington we.../Burtonwo...

Abb – Aud

A

Abbey Cl *GOL/RIS/CUL* WA3....7 H5
Abbotsfield Cl *WARRS* WA4....31 F3
Aberdare Cl *WARRW/BUR* WA5....17 H3
Abingdon Av *WARR* WA1....20 D4
Abstone Cl *WARR* WA1....20 B3
Acacia Av *WARR* WA1....20 C5
Acacia St *NEWLW* WA12....4 C2
Academy St *WARR* WA1....2 D3
Academy Wy *WARR* WA1....2 D3
Achilles Ct *WARRN/WOL* WA2....18 C1
Ackerley Cl *WARRN/WOL* WA2....13 G5
Ackers La *WARRS* WA4....25 F5
Ackers Rd *WARRS* WA4....25 F5
Acorn St *NEWLW* WA12....5 F3
Acton Rd *WARRW/BUR* WA5....10 B3
Adams Cl *NEWLW* WA12....5 G4
Adamson Ct *WARRS* WA4....26 A4
Adamson St *WARRS* WA4....2 C6
Adam St *WARRN/WOL* WA2....18 D4
Adam Rd *LYMM* WA13....28 D1
Adlington Ct *GOL/RIS/CUL* WA3....15 E3

Admirals Rd *GOL/RIS/CUL* WA3....14 D5
Agden Brow Pk *LYMM* WA13....29 G5
Agden La *LYMM* WA13....29 H5
Ainscough Rd *GOL/RIS/CUL* WA3....14 D5
Ainsdale Cl *WARRW/BUR* WA5....22 C3
Airedale Cl *WARRW/BUR* WA5....16 C5
Ajax Av *WARRN/WOL* WA2....18 C1
Alamein Crs *WARRN/WOL* WA2 *....18 C4
Albany Crs *LYMM* WA13 *....28 A2
Albany Gv *LYMM* WA13....27 H2
Albany Rd *LYMM* WA13....27 H3
Albert Dr *WARRW/BUR* WA5....22 A1
Albert Rd *WARRS* WA4....25 H4
Alcott Pl *WARRN/WOL* WA2....12 B2
Alderbank Rd *WARRW/BUR* WA5....22 D1
Alder Crs *WARRN/WOL* WA2....18 D3
Alder La *WARRN/WOL* WA2....18 C3
Alderley Rd *WARRS* WA4....26 C2
Alder Rd *WARR* WA1....20 C4
Alder Root La *WARRN/WOL* WA2....11 G2
Alder St *NEWLW* WA12....5 G3
Aldewood Cl *GOL/RIS/CUL* WA3....15 F2

Aldridge Dr *WARRW/BUR* WA5....10 C2
Alexandra Rd *WARRW* WA4....25 E5
Alexandra St *WARR* WA1....19 F4
Alfred St *NEWLW* WA12....5 H3
Algernon St *WARR* WA1....19 E5
  WARRS WA4....24 D5
Allen Av *GOL/RIS/CUL* WA3....9 H1
Allen St *WARRN/WOL* WA2....2 B1
All Saints Dr *WARRS* WA4....26 D5
Alma St *NEWLW* WA12 *....5 E5
Almer Dr *WARRN/WOL* WA2....12 C2
Almond Dr *WARRW/BUR* WA5....10 C3
Almond Gv *WARR* WA1....20 A4
Alpine St *WARRN/WOL* WA2....2 D5
Ambleside Rd *WARRS* WA4....12 D5
Amelia St *WARRN/WOL* WA2....18 D4
The Anchorage *LYMM* WA13....28 A3
Anderson Cl *WARRN/WOL* WA2....20 A1
Andover St *WARRN/WOL* WA2....19 F2
Annette Av *NEWLW* WA12....4 D1
Annie St *WARRN/WOL* WA2....18 D5
Anson Cl *WARRS* WA4....19 F1
Antrim Rd *WARRN/WOL* WA2....18 B1
Appleby Rd *WARRN/WOL* WA2....12 D5
Applecross Cl *GOL/RIS/CUL* WA3....15 F2
Appleford Cl *WARRS* WA4....31 F2

Appletree Gv *WARRN/WOL* WA2....19 G1
Arbury La *WARRN/WOL* WA2....12 D2
Archer Av *WARRS* WA4....25 F4
Arden Ct *GOL/RIS/CUL* WA3....15 G2
Arkenshaw Rd *GOL/RIS/CUL* WA3....13 H1
Arley Av *WARRS* WA4....25 E5
Arley Rd *WARRS* WA4....32 B5
Arlington Dr *WARRW/BUR* WA5....22 B3
Armour Av *WARRN/WOL* WA2....18 C1
Armstrong Cl *GOL/RIS/CUL* WA3....14 C4
Arncliffe Dr *WARRW/BUR* WA5....10 C3
Arnhem Crs *WARRN/WOL* WA2....18 C4
Arnold St *WARR* WA1....19 E5
Arnside Gv *WARRS* WA4....24 C4
Arpley Rd *WARR* WA1....2 B5
Arpley St *WARR* WA1....2 A5
Arran Cl *WARRN/WOL* WA2....19 H1
Arthur St *WARRN/WOL* WA2....2 A1
Antony Rd *WARRS* WA4....20 D4
  WARRS WA4....26 B4
Ash Av *NEWLW* WA12....5 F4
Ashberry Dr *WARRS* WA4....32 A4
Ashbourne Rd *WARRW/BUR* WA5....25 E2

Ashbrook Crs *WARRN/WOL* WA2....19
Ashcroft Rd *LYMM* WA13....19
Ashdown La *GOL/RIS/CUL* WA3....15
Ashfield Cl *LYMM* WA13....29
Ashford Dr *WARRS* WA4....35
Ash Gv *WARRS* WA4....31
Ash La *WARRS* WA4....31
Ashley Cl *WARRS* WA4....26
Ashmore Cl *GOL/RIS/CUL* WA3....15
Ash Rd *LYMM* WA13....27
  WARRN/WOL WA2....12
  WARRW/BUR WA5....22
Ashton St *WARRN/WOL* WA2....2
Ashwood Av *WARR* WA1....19
Aspen Gv *WARR* WA1....19
Aspinall Cl *WARRN/WOL* WA2....19
Aspull Cl *GOL/RIS/CUL* WA3....15
Astley Cl *WARRS* WA4....25
Aston Av *GOL/RIS/CUL* WA3....15
Aston Ct *WARR* WA1....20
Astor Dr *WARRS* WA4....26
Athlone Rd *WARRN/WOL* WA2....18
Athol Cl *NEWLW* WA12....4
Attlee Av *GOL/RIS/CUL* WA3....14
Audie Murphy Rd *WARRW/BUR* WA5....23
Audre Cl *WARRW/BUR* WA5....23

en Dr WARRN/WOL WA2 ....12 A2
al Av WARR WA1 ....20 A4
alia La WARRS WA4 ....26 B5
y Cl WARR WA1 ....20 A4
venue LYMM WA13 ....27 H5
WLW WA12 ....5 F2
Cl WARRN/WOL WA2 ....19 F1
nore Dr
ARRN/WOL WA2 ....13 H5
et Cl NEWLW WA12 ....5 F2
ARRN/WOL WA2 ....13 E5
Av WARRW/BUR WA5 ....22 C3
Rd GOL/RIS/CUL WA3 ....9 F3

B

acombe Rd
ARRW/BUR WA5 ....22 B3
Bridge St NEWLW WA12 ....5 E3
Brook Pl WARRS WA4 ....3 J6
Cross La NEWLW WA12 ....5 E2
Eastford Rd WARRS WA4 ....24 B5
Forshaw St
ARRN/WOL WA2 ....18 D4
La WARRW/BUR WA5 ....10 A2
Legh St NEWLW WA12 ....4 D3
Market St NEWLW WA12 ....4 D2
all Cl WARRW/BUR WA5 ....23 F2
t Av WARRW/BUR WA5 ....18 A3
well Rd
ARRW/BUR WA5 ....10 D2
Cl WARRW/BUR WA5 * 17 H2
ock Cl WARRS WA4 ....26 B3
ntyne Pl
ARRN/WOL WA2 ....12 B2
ter Dr WARRN/WOL WA2 ....13 F4
oral Rd WARRS WA4 ....25 G4
stre Dr NEWLW WA12 ....6 A2
ury Dr WARRW/BUR WA5 ....23 F3
Gdns WARRW/BUR WA5 ....22 B3
s Crs WARRS WA4 ....25 G2
St NEWLW WA12 ....4 C3
ARR WA1 ....2 D3
auld St WARR WA1 ....2 C4
ondale Cl
ARRW/BUR WA5 ....16 C5
sley Av WARRW/BUR WA5 ....18 A1
ord Cl WARRW/BUR WA5 ....17 E3
am Ct GOL/RIS/CUL WA3 ....14 C4
ycastle La WARRS WA4 ....32 C4
y Rd WARRS WA4 ....26 B3
outh Cl
ARRW/BUR WA5 ....17 H2
ack Cl WARR WA1 ....19 H3
ard St WARRW/BUR WA5 ....23 G4
es Av WARRN/WOL WA2 ....20 A1
es Cl WARRW/BUR WA5 ....22 D2
ett Av NEWLW WA12 ....4 B3
field Rd WARR WA1 ....20 B4
staple Wy
ARRW/BUR WA5 ....22 B3
swood Cl WARRS WA4 ....26 B5
Wy NEWLW WA12 ....5 E3
well Av GOL/RIS/CUL WA3 ....8 C1
n Cl WARR WA1 ....20 C4
ow Av WARRN/WOL WA2 ....19 F1
ow Hall La
ARRW/BUR WA5 ....16 B5
ow La GOL/RIS/CUL WA3 ....6 D3
ie Cl WARRS WA4 ....31 E2
ymore Av WARRS WA4 ....25 G2
y St WARRS WA4 ....3 F5
bank Cl LYMM WA13 ....27 H3
bank La LYMM WA13 ....27 H3
haw Gdns WARRS WA4 ....35 F1
on Av WARRS WA4 ....25 H4
St WARR WA1 ....2 B2
ersby La WARR/WOL WA2 ....18 D5
ery La WARR WA1 ....21 E5
try Ct WARRN/WOL WA2 ....19 F2
ter St WARRW/BUR WA5 ....23 H2
cliffe LYMM WA13 ....28 A4
dnell Dr WARRW/BUR WA5 ....22 B4
nish Cl WARRS WA4 ....35 E1
rice St WARRS WA4 ....3 G6
ty Av WARRN/WOL WA2 ....18 D2
ufort Cl WARRW/BUR WA5 ....22 D2
ufort St WARRW/BUR WA5 ....23 H3
verbrook Av
OL/RIS/CUL WA3 ....9 G1
ett Dr WARRN/WOL WA2 ....12 B3
ford St WARRS WA4 ....30 D1
ch Av GOL/RIS/CUL WA3 ....9 F2
ARRS WA4 ....26 C3
ch Cl NEWLW WA12 ....5 F4
chfield Rd WARRS WA4 ....25 H5
ch Gv LYMM WA13 ....27 G4
ARR WA1 ....19 H4
ARRS WA4 ....3 H6
chmill Dr GOL/RIS/CUL WA3 ....8 C2
ch Rd WARRS WA4 ....30 D1
chways WARRS WA4 ....31 E4
chwood Av NEWLW WA12 ....5 G2
ARR WA1 ....19 F3
ARRW/BUR WA5 ....22 C2
chwood La
OL/RIS/CUL WA3 ....8 C1
croft Cl WARRW/BUR WA5 ....17 G3
ston Cl GOL/RIS/CUL WA3 ....14 C4
grave Av WARR WA1 ....19 G4
cast Cl WARRS WA4 ....30 D3
house La WARRS WA4 ....26 B5
La WARRS WA4 ....26 D3
mont Av WARRS WA4 ....25 G3
mont Crs
ARRW/BUR WA5 ....22 D1
edere Rd NEWLW WA12 ....5 E2
oir Rd WARRS WA4 ....30 C1
nett Av WARR WA1 ....19 G5
nett St WARR WA1 ....2 D3
son Rd GOL/RIS/CUL WA3 ....20 C1
tham Av WARRN/WOL WA2 ....12 D5
Bentham Rd GOL/RIS/CUL WA3 ....9 F3
Bent La GOL/RIS/CUL WA3 ....9 F3
Beresford St WARR WA1 ....19 F4
Berkshire Dr WARR WA1 ....20 C4
Bernard Av WARRS WA4 ....31 E1
Bertram St NEWLW WA12 ....4 C3
Berwick Cl WARR WA1 ....20 D5
Betjeman Cl WARRS WA4 ....25 G2
Betsyfield Dr
GOL/RIS/CUL WA3 ....13 H1
Bevan Cl WARRW/BUR WA5 ....23 G1
Beverley Av WARRS WA4 ....31 E1
Beverley Rd WARRW/BUR WA5 ....23 F1
Bevin Av GOL/RIS/CUL WA3 ....9 G1
Bewsey Farm Cl
WARRW/BUR WA5 ....17 H4
Bewsey Park Cl
WARRW/BUR WA5 ....18 A4
Bewsey Rd WARRW/BUR WA5 ....18 A4
Bewsey St WARR WA1 ....2 C2
Bexhill Av WARRN/WOL WA2 ....12 C4
Bibby Av WARR WA1 ....19 F5
Bickerton Cl GOL/RIS/CUL WA3 ....14 C4
Bickley Cl WARRN/WOL WA2 ....13 G5
Bicknell Cl WARRW/BUR WA5 ....17 E4
Bideford Rd WARRW/BUR WA5 ....22 B3
Biggin Ct WARRN/WOL WA2 ....19 F2
Billington Av NEWLW WA12 ....5 F1
Billington Cl WARRW/BUR WA5 ....16 B4
Birchall Av GOL/RIS/CUL WA3 ....8 C1
Birchall St GOL/RIS/CUL WA3 ....13 H1
Birch Av WARRN/WOL WA2 ....12 B4
Birch Brook Rd LYMM WA13 ....29 F1
Birch Crs NEWLW WA12 ....4 C2
Birchdale Crs WARRS WA4 ....30 D1
Birchdale Rd WARR WA1 ....19 H4
WARRS WA4 ....30 D2
Birchfield Rd LYMM WA13 ....29 E2
WARRW/BUR WA5 ....23 E2
Birch Gv WARR WA1 ....19 G4
WARRS WA4 ....3 H7
Birchways WARRS WA4 ....31 F4
Birchwood Bvd
GOL/RIS/CUL WA3 ....20 C1
Birchwood Park Av
GOL/RIS/CUL WA3 ....14 C3
Birchwood Wy
GOL/RIS/CUL WA3 ....15 E4
WARRN/WOL WA2 ....19 F3
Birdwell Dr WARRW/BUR WA5 ....22 D2
Birkdale Rd WARRW/BUR WA5 ....22 C3
Birley St NEWLW WA12 ....5 G2
Birtles Rd WARRN/WOL WA2 ....18 D2
Bishopdale Cl
WARRW/BUR WA5 ....16 C5
Bishops Ct WARRN/WOL WA2 ....12 A4
Bispham Rd WARRW/BUR WA5 ....23 E3
Bittern Cl WARRN/WOL WA2 ....13 E5
Blackbrook Av
WARRN/WOL WA2 ....13 F5
Blackburne Cl
WARRN/WOL WA2 ....20 B1
Blackcap Rd WARRS WA4 ....31 H5
Blackhurst St WARR WA1 ....2 D3
Blackledge Cl
WARRN/WOL WA2 ....13 H5
Blackley Cl WARRS WA4 ....3 H7
Blackshaw Dr
WARRW/BUR WA5 ....17 E3
Blandford Rd
WARRW/BUR WA5 ....23 E2
Bleasdale Rd NEWLW WA12 ....5 E2
Blenheim Cl WARRN/WOL WA2 ....19 G1
Bluecoat St WARRN/WOL WA2 ....18 C4
Blue Ridge Cl
WARRW/BUR WA5 ....16 B5
Boat Stage LYMM WA13 ....28 B3
Bold St WARR WA1 ....2 B4
Bollin Cl GOL/RIS/CUL WA3 ....9 F3
LYMM WA13 ....28 D2
Bollin Dr LYMM WA13 ....28 C2
Bolton Av WARRS WA4 ....25 G2
Bond Cl WARRW/BUR WA5 ....23 G3
Booth's Hill Cl LYMM WA13 ....28 A4
Booth's Hill La LYMM WA13 ....27 H3
Booth's Hill Rd LYMM WA13 ....27 H3
Booth's La LYMM WA13 ....27 G4
Booth St WARRW/BUR WA5 ....23 H3
Borron Rd NEWLW WA12 ....5 E1
Borrowdale Av
WARRN/WOL WA2 ....12 C5
Bostock St WARRW/BUR WA5 ....23 H1
Boston Bvd WARRW/BUR WA5 ....17 F5
Boston Cl GOL/RIS/CUL WA3 ....9 E1
Boswell Av WARRS WA4 ....24 C4
Boteler Av WARRW/BUR WA5 ....18 A4
Boulting Av WARRW/BUR WA5 ....18 A1
Bourchier Wy WARRS WA4 ....31 H1
Bowden Cl GOL/RIS/CUL WA3 ....9 E1
Bowdon Cl WARR WA1 * 19 G3
Bower Crs WARRS WA4 ....35 E2
Bowland Cl GOL/RIS/CUL WA3 ....15 G3
Bowman Av WARRS WA4 ....25 H1
Bowness Av WARRN/WOL WA2 ....18 D1
Bowood Ct WARRN/WOL WA2 ....12 B4
Boydell Av WARRS WA4 ....25 G2
Boyle Av WARRN/WOL WA2 ....19 F2
Bracken Cl GOL/RIS/CUL WA3 ....14 B3
Brackley St WARRS WA4 ....24 D5
Bradlegh Rd NEWLW WA12 ....5 F4
Bradley Bvd WARRW/BUR WA5 ....23 E1
Bradley La WARRW/BUR WA5 ....4 D5
Bradshaw La LYMM WA13 ....29 G3
WARRS WA4 ....26 A3
Braemar Cl WARRN/WOL WA2 ....13 H5
Brakenwood Ms WARRS WA4 * 26 B5
Bramble Cl WARRW/BUR WA5 ....22 B4
Bramhall St WARRW/BUR WA5 ....23 H3
Bramley Ms WARRS WA4 ....30 D1
Bramshill Cl
GOL/RIS/CUL WA3 ....15 F2
Brandwood Av
WARRN/WOL WA2 ....18 C1
Bransdale Cl
WARRW/BUR WA5 ....16 B5
Brantfield Ct
WARRN/WOL WA2 ....19 F1
Brathay Cl WARRN/WOL WA2 ....12 D5
Brendon Av WARRN/WOL WA2 ....12 B5
Brentnall Cl
WARRW/BUR WA5 * 23 F2
Bretland Dr WARRS WA4 ....31 H2
Brian Av WARRN/WOL WA2 ....19 E3
WARRS WA4 ....25 F5
Briarwood Av WARR WA1 ....19 F4
Brickhurst Wy WARR WA1 ....20 A3
Brick St NEWLW WA12 ....4 C3
WARR WA1 ....2 E2
Bridge Av WARRS WA4 ....25 G2
Bridge Cl LYMM WA13 ....29 E3
Bridge La WARR WA1 ....20 B5
WARRS WA4 ....31 F2
Bridgeman St
WARRW/BUR WA5 ....23 G3
Bridge Rd WARR WA1 ....20 B4
Bridge St NEWLW WA12 ....5 E3
WARR WA1 ....2 D4
Bridgewater Av WARRS WA4 ....25 G2
Bridgewater Ms WARRS WA4 ....30 D1
Bridgewater St LYMM WA13 ....28 B3
Bridlemere Ct WARR WA1 ....19 F3
Brierley St WARRW/BUR WA5 ....18 A5
Briers Cl WARRN/WOL WA2 ....13 G5
Brighton St WARRW/BUR WA5 ....23 H1
Brightwell Cl
WARRW/BUR WA5 ....22 B2
Brimelow Crs
WARRW/BUR WA5 ....22 B4
Brindley Av WARRS WA4 ....25 G2
Bristow Cl WARRW/BUR WA5 ....17 E4
Broadbent Av WARRS WA4 ....25 G3
Broadhurst Av
GOL/RIS/CUL WA3 ....9 E3
WARRW/BUR WA5 ....23 G3
Broad La WARRS WA4 ....32 A1
WARRW/BUR WA5 ....10 A1
Broad Oak Av
WARRW/BUR WA5 ....22 B3
Brock Rd GOL/RIS/CUL WA3 ....14 C5
Brogden Av GOL/RIS/CUL WA3 ....8 D1
Bromley Cl WARRN/WOL WA2 ....13 G5
Brompton Gdns
WARRW/BUR WA5 ....17 H5
Bronte Cl WARRN/WOL WA2 ....12 B2
Brook Av WARRS WA4 ....25 F5
WARRS WA4 ....25 G1
Brook Dr WARRW/BUR WA5 ....22 D2
Brookfield Cl LYMM WA13 ....28 A3
Brookfield Pk WARRS WA4 ....25 H4
Brookfield Rd
GOL/RIS/CUL WA3 ....8 B1
LYMM WA13 ....28 A3
Brookfield St NEWLW WA12 ....5 E3
Brook House Ct LYMM WA13 * 28 B3
Brookland St WARR WA1 ....19 F4
Brook La GOL/RIS/CUL WA3 ....21 F3
Brooklyn Dr LYMM WA13 ....28 B2
Brook Rd LYMM WA13 ....28 A2
Brookside Av LYMM WA13 ....27 H2
WARRS WA4 ....25 E5
WARRW/BUR WA5 ....22 D2
Brookvale Cl
WARRW/BUR WA5 ....10 C3
Brook Wy WARRW/BUR WA5 ....22 D2
Brookwood Cl WARRS WA4 ....30 C1
Broom Av WARRS WA4 ....31 F3
Broomfields Rd WARRS WA4 ....31 E2
Broseley Av GOL/RIS/CUL WA3 ....8 C1
Brotherton Wy NEWLW WA12 ....5 E2
Broughton Cl WARRS WA4 ....31 G1
Browmere Dr
GOL/RIS/CUL WA3 ....13 H1
Brownhill Dr WARR WA1 ....19 G3
Browning Dr
WARRN/WOL WA2 ....12 A3
Bruce Av WARRN/WOL WA2 ....19 E2
Bruche Av WARR WA1 ....19 G4
Bruche Dr WARR WA1 ....19 G3
Brunswick Rd NEWLW WA12 ....4 C2
Bruntleigh Av WARRS WA4 ....25 H3
Bryant Av WARRS WA4 ....25 G2
Buchan Cl WARRW/BUR WA5 ....17 E4
Buckfast Cl WARRW/BUR WA5 ....22 B4
Buckingham Dr
WARRW/BUR WA5 ....23 F3
Buckley St WARRN/WOL WA2 ....18 B5
Bucklow Gdns LYMM WA13 ....28 D2
Buckton St WARR WA1 ....19 E4
Budworth Av WARRS WA4 ....25 G2
Bungalow Rd NEWLW WA12 ....5 H5
Buntingford Rd WARRS WA4 ....26 B3
Burfield Dr WARRS WA4 ....30 D3
Burford La LYMM WA13 ....29 F4
Burgess Av WARRS WA4 ....2 D7
Burkhardt Dr NEWLW WA12 ....5 H3
Burley La WARRS WA4 ....32 B5
Burnet Cl WARRN/WOL WA2 ....20 B1
Burnham Cl GOL/RIS/CUL WA3 ....8 D1
WARRW/BUR WA5 ....22 C2
Burns Gv WARRN/WOL WA2 ....18 D1
Burnside Av WARRS WA4 ....25 E5
Burrough Cl GOL/RIS/CUL WA3 ....15 E5
Bursar Cl NEWLW WA12 ....5 G2
Burton Cl GOL/RIS/CUL WA3 ....9 E2
Burton Rd WARRN/WOL WA2 ....19 E2
Burtonwood Rd
WARRW/BUR WA5 ....10 C5
Buttermarket St WARR WA1 ....2 E2
Buttermere Av
WARRN/WOL WA2 ....12 D5
Buxton Cl WARRW/BUR WA5 ....16 D4
Byron Ct WARRN/WOL WA2 ....18 D1

C

Cabot Cl WARRW/BUR WA5 ....17 F3
Cabul Cl WARRN/WOL WA2 ....18 D4
Cadshaw Cl GOL/RIS/CUL WA3 ....14 C3
Cairo St WARR WA1 ....2 C3
Caldbeck Av WARRN/WOL WA2 ....19 E1
Calderfield Cl WARRS WA4 ....30 C1
Caldwell Av WARRW/BUR WA5 ....18 A1
California Cl WARRW/BUR WA5 ....17 F4
Callands Rd WARRW/BUR WA5 ....17 G2
Calstock Cl WARRW/BUR WA5 ....22 B4
Calver Rd WARRN/WOL WA2 ....12 B5
Cambourne Rd
WARRW/BUR WA5 ....10 C3
Cambrai Av WARRS WA4 ....24 D4
Cambridge Cl WARRS WA4 ....30 C1
Cambridge Gdns WARRS WA4 ....30 D3
Camelot Cl NEWLW WA12 ....4 C2
Cameron Ct WARRN/WOL WA2 ....12 B4
Campbell Crs
WARRW/BUR WA5 ....22 C1
Campion Cl GOL/RIS/CUL WA3 ....14 B3
Camsley La LYMM WA13 ....27 G3
Canada Cl WARRN/WOL WA2 ....19 H1
Canal Side WARRS WA4 ....26 B5
Canal St NEWLW WA12 ....4 C4
Canal Vw LYMM WA13 * 27 H3
Canberra Sq
WARRN/WOL WA2 ....19 E1
Candleston Cl
WARRW/BUR WA5 ....17 H3
Canford Cl WARRW/BUR WA5 ....23 F1
Cannell St WARRW/BUR WA5 ....23 G3
Cann La WARRS WA4 ....31 G5
Cann La North WARRS WA4 ....31 F3
Canons Rd WARRW/BUR WA5 ....23 G1
Canterbury St WARRS WA4 ....2 E5
Capenhurst Av
WARRN/WOL WA2 ....19 H1
Capesthorne Rd
WARRN/WOL WA2 ....19 F1
Carden Cl GOL/RIS/CUL WA3 ....14 B4
Cardigan Cl WARRW/BUR WA5 ....17 G2
Carlingford Rd WARRS WA4 ....30 C1
Carlisle St WARRS WA4 ....30 D1
Carlton Rd LYMM WA13 ....29 E1
Carlton St WARRS WA4 ....30 D1
Carmarthen Cl
WARRW/BUR WA5 ....17 G2
Carol St WARRS WA4 ....3 G6
Carpenter Gv
WARRN/WOL WA2 ....19 H2
Carrington Cl
GOL/RIS/CUL WA3 ....14 B4
Cartier Cl WARRW/BUR WA5 ....17 F4
Cartmel Av WARRN/WOL WA2 ....12 D5
Cartmel Cl WARRW/BUR WA5 ....17 H2
Cartridge La WARRS WA4 ....32 C3
Cartwright St
WARRW/BUR WA5 ....23 H1
Castle Gn WARRW/BUR WA5 ....17 E2
Castle Hi NEWLW WA12 ....5 H2
Catfoss Cl WARRN/WOL WA2 ....19 F2
Catherine St
WARRW/BUR WA5 ....18 A4
Catherine Wy NEWLW WA12 ....5 E4
Catterall Av WARRN/WOL WA2 ....19 E1
Causeway Av WARRS WA4 ....2 E7
Cavendish Av
GOL/RIS/CUL WA3 ....14 D3
Cavendish Cl
WARRW/BUR WA5 ....17 G5
Cavendish Pl
GOL/RIS/CUL WA3 ....15 E3
Caversham Cl WARRS WA4 ....31 E2
Cawdor St WARRS WA4 ....30 D1
Cawley Av GOL/RIS/CUL WA3 ....8 D1
Cawthorne Av WARRS WA4 ....25 H4
Cedar Ct GOL/RIS/CUL WA3 ....9 E3
Cedar Crs NEWLW WA12 ....5 G4
Cedarfield Rd LYMM WA13 ....29 E1
Cedar Gv WARR WA1 ....19 H4
WARRS WA4 ....3 H7
Cedar Rd WARRW/BUR WA5 ....22 C1
Cedar St NEWLW WA12 * 5 F4
Cedarways WARRS WA4 ....31 E4
Central Av WARRN/WOL WA2 ....18 D3
WARRS WA4 ....2 D6
Central Rd WARRS WA4 ....2 E6
Central Wy NEWLW WA12 ....5 H4
WARRN/WOL WA2 ....2 C1
Centre Pk WARR WA1 ....2 B6
Centre Park Sq WARR WA1 ....2 B5
Centurion Cl GOL/RIS/CUL WA3 ....14 C4
Chadwick Av
GOL/RIS/CUL WA3 ....14 A1
WARRS WA4 ....25 F5
Chadwick Pl GOL/RIS/CUL WA3 ....14 D3
Chaffinch Cl GOL/RIS/CUL WA3 ....15 E5
Chalfont Cl WARRS WA4 ....31 F3
Chantler Av WARRS WA4 ....3 K4
Chapel Cross Rd
WARRN/WOL WA2 ....19 H1
Chapel La WARRS WA4 ....30 D1
WARRW/BUR WA5 ....10 C3
Chapel Rd WARRW/BUR WA5 ....22 B4
Chapel St NEWLW WA12 ....5 E3
Charles Av WARRW/BUR WA5 ....22 C1
Charlton St WARRS WA4 ....25 G3
Charminster Cl
WARRW/BUR WA5 ....23 E2
Charnock Av NEWLW WA12 ....4 C3
Charnock Rd GOL/RIS/CUL WA3 ....9 E2
Charnwood Cl
GOL/RIS/CUL WA3 ....15 G3
Charon Wy WARRW/BUR WA5 ....16 D1
Charter Av WARRW/BUR WA5 ....18 B3
Chatburn Ct GOL/RIS/CUL WA3 ....8 D3
Chatfield Dr GOL/RIS/CUL WA3 ....14 D5
Chatsworth Av
GOL/RIS/CUL WA3 ....9 E1
Chatwell Gdns WARRS WA4 ....31 G4
Chaucer Pl WARRS WA4 ....25 G2
Cheddar Gv
WARRW/BUR WA5 ....10 C2
Chelford Cl WARRS WA4 ....30 D1
Chelsea Gdns
WARRW/BUR WA5 ....23 F3
Cheltenham Cl
WARRW/BUR WA5 ....16 D4
Cheltenham Dr NEWLW WA12 ....5 F1
Chemical St NEWLW WA12 ....5 E3
Chepstow Cl
WARRW/BUR WA5 ....17 H1
Cherry Cl NEWLW WA12 ....4 C2
Cherry Cnr LYMM WA13 ....33 F3
Cherry La LYMM WA13 ....33 G1
Cherry Tree Av LYMM WA13 ....28 A4
WARRW/BUR WA5 ....22 C3
Cherwell Cl WARRN/WOL WA2 ....19 E1
Chesford Gra WARR WA1 ....20 D4
Cheshire Cl NEWLW WA12 ....5 H3
Chessington Cl WARRS WA4 ....31 G3
Chester New Rd WARRS WA4 ....30 A2
Chester Rd WARRS WA4 ....25 G5
WARRS WA4 ....30 B1
Chester St WARRN/WOL WA2 * 18 D5
Chesterton Dr
WARRN/WOL WA2 ....12 B3
Chestnut Av
WARRW/BUR WA5 ....22 C1
Chetham Ct WARRN/WOL WA2 ....12 B5
Cheviot Av WARRN/WOL WA2 ....12 B5
Chichester Cl WARRS WA4 ....31 H2
Chiltern Av WARRN/WOL WA2 ....12 B5
Chiltern Crs WARRN/WOL WA2 ....12 B5
Chiltern Rd GOL/RIS/CUL WA3 ....8 D1
WARRN/WOL WA2 ....12 B5
China La WARRS WA4 ....24 D4
Chippingdall Cl
WARRW/BUR WA5 ....23 F2
Chiswick Gdns WARRS WA4 ....31 G3
Cholmley Dr NEWLW WA12 ....5 H4
Chorley St WARRN/WOL WA2 ....18 C5
Church Dr NEWLW WA12 ....5 F5
WARRN/WOL WA2 ....19 H2
Churchfields
GOL/RIS/CUL WA3 ....14 A1
Churchill Av GOL/RIS/CUL WA3 ....9 G1
Church La GOL/RIS/CUL WA3 ....9 E2
WARRS WA4 ....26 A5
Church Rd LYMM WA13 ....28 A4
Church St NEWLW WA12 ....5 H3
WARR WA1 ....2 E2
Church Vw LYMM WA13 ....29 E2
Church Wk WARRN/WOL WA2 ....12 B2
Churchwood Vw LYMM WA13 ....28 C3
Cinder La WARRS WA4 ....33 E1
Cinnamon La
WARRN/WOL WA2 ....13 G5
Cinnamon La North
WARRN/WOL WA2 ....13 G4
Cinnamon Pk
WARRN/WOL WA2 * 20 B1
Clap Gates Rd
WARRW/BUR WA5 ....17 H5
Claremont Rd
GOL/RIS/CUL WA3 ....8 C1
Clarence Av WARRW/BUR WA5 ....22 A1
Clarence Rd WARRS WA4 ....26 A4
Clarence St NEWLW WA12 ....4 C2
WARR WA1 ....19 F4
Clarendon Ct
WARRN/WOL WA2 ....12 A4
Clares Farm Cl WARR WA1 ....21 E4
Clarke Av GOL/RIS/CUL WA3 ....9 E1
WARRS WA4 ....25 E4
Claude St WARR WA1 ....18 D5
Clay La WARRW/BUR WA5 ....10 B3
Clayton Rd GOL/RIS/CUL WA3 ....15 E2
Cleeves Cl WARR WA1 ....3 F3
Clegge St WARRN/WOL WA2 ....18 C4
Clelland St WARRS WA4 ....3 F6
Cleveland Rd
WARRN/WOL WA2 ....12 C5
Cleveleys Rd
WARRW/BUR WA5 ....23 E3
Cliffe Rd WARRS WA4 ....30 D2
Cliffe St WARR WA1 ....2 A2
Cliff La WARRS WA4 ....26 C4
WARRS WA4 ....33 E2
Clifford Rd WARRW/BUR WA5 ....22 D3
Clifton Av GOL/RIS/CUL WA3 ....8 C2
Clifton Cl WARR WA1 ....20 B4
Clifton St WARRS WA4 ....3 F5
Cliftonville Rd WARR WA1 ....20 B5
Clive Av WARRN/WOL WA2 ....18 D2
Clough Av WARRN/WOL WA2 ....18 C1
Clovelly Av WARRW/BUR WA5 ....16 B5
Cloverfield LYMM WA13 ....28 C2
Clydesdale Rd WARRS WA4 ....31 E1
Cobbs La WARRS WA4 ....31 F1
Cobden St NEWLW WA12 ....5 G2
WARRN/WOL WA2 ....18 C4
Cockhedge La WARR WA1 ....2 D2
Cockhedge Wy WARR WA1 ....2 D2
Coldstream Cl
WARRN/WOL WA2 ....13 F4
Cole Av NEWLW WA12 ....5 F2
Colebrook Cl
GOL/RIS/CUL WA3 ....15 F4
Coleclough Pl
GOL/RIS/CUL WA3 ....9 E1
Colemere Ct WARR WA1 ....19 H2
College Cl WARR WA1 ....3 G2
WARRN/WOL WA2 ....19 H1
Collingwood Rd NEWLW WA12 ....5 E3
Collins Green La
WARRW/BUR WA5 ....4 B5
Collin St WARRW/BUR WA5 ....23 H2
Colne Rd WARRW/BUR WA5 ....10 C3
Colorado Cl WARRW/BUR WA5 ....17 F5
Colville Ct WARRN/WOL WA2 ....12 B5
Colwyn Cl WARRW/BUR WA5 ....17 H2
Common La GOL/RIS/CUL WA3 ....8 C1
WARRS WA4 ....25 F4
WARRS WA4 ....35 F4
Common Rd NEWLW WA12 ....4 B3
Common St NEWLW WA12 ....4 B3
Concorde Pl WARRN/WOL WA2 ....19 E1
Conifer Gv WARRW/BUR WA5 ....16 C5
Coniston Av WARRW/BUR WA5 ....22 A3
Connaught Av WARR WA1 ....19 F4

Connaught Dr *NEWLW* WA12 .....5 F4
Conroy Wy *NEWLW* WA12 .....5 F5
Conway Av *NEWLW* WA12 .....4 D5
Conway Cl *WARRW/BUR* WA5 .....22 C1
Conway Dr *NEWLW* WA12 .....5 H3
Coogee Av *WARRW/BUR* WA5 .....16 B5
Cooper Av *NEWLW* WA12 .....4 C3
WARRN/WOL WA2 .....18 C1
Coopers Pl *WARRS* WA4 .....24 D5
Copeland Rd *WARRS* WA4 .....24 C4
Copperfield Cl
GOL/RIS/CUL WA3 .....14 B5
Coppice Gn *WARRW/BUR* WA5 .....16 D5
The Coppins *WARRN/WOL* WA2 .....18 D1
The Copse *NEWLW* WA12 .....4 D2
Corbet Av *WARRN/WOL* WA2 .....18 C3
Corbet St *WARRN/WOL* WA2 * 18 C3
Cornmill Ct *GOL/RIS/CUL* WA3 * 7 H5
Cornwall St *WARR* WA1 .....19 F4
Coronation Av *WARRS* WA4 .....26 A4
Coronation Dr *NEWLW* WA12 .....5 H5
WARRW/BUR WA5 .....22 C5
Corwen Cl *WARRW/BUR* WA5 .....17 H5
Cossack Av *WARRN/WOL* WA2 .....18 C2
Cotswold Rd
WARRN/WOL WA2 .....12 C5
Cottam Dr *WARRN/WOL* WA2 .....13 H5
Cotterdale Cl
WARRW/BUR WA5 .....16 C5
Cotterill Dr *WARR* WA1 .....20 B4
Coverdale Cl
WARRW/BUR WA5 .....16 C5
Cowdell St *WARRN/WOL* WA2 .....18 C4
Crab La *WARRN/WOL* WA2 .....13 H5
Crabtree Cl *NEWLW* WA12 .....5 H3
Cranborne Av *WARRS* WA4 .....24 C5
Cranford St *WARR* WA1 * 20 D3
Cranleigh Cl *WARRS* WA4 .....30 C2
Cranwell Av *GOL/RIS/CUL* WA3 .....7 H5
Craven Ct *WARRN/WOL* WA2 .....12 A4
Crawley Av
WARRN/WOL WA2 * 12 B5
The Crescent *LYMM* WA13 .....28 C4
Cressbrook Rd *WARRS* WA4 .....30 D1
Cresswell Cl *WARRW/BUR* WA5 .....17 G2
Croft Gdns *WARRS* WA4 .....31 H2
Croft Heath Gdns
GOL/RIS/CUL WA3 .....7 H5
Crofton Cl *WARRS* WA4 .....32 B4
Crofton Gdns *GOL/RIS/CUL* WA3 .....8 D2
Croftside *WARR* WA4 .....21 E4
Cromdale Wy
WARRW/BUR WA5 .....22 B1
Crompton Dr
WARRN/WOL WA2 .....12 B2
Cromwell Av
WARRN/WOL WA2 .....17 F2
Cromwell Av South
WARRW/BUR WA5 .....23 F3
Cromwell Cl *NEWLW* WA12 .....4 D2
Cromwell St *WARR* WA1 .....3 J2
Cronulla Dr *WARRW/BUR* WA5 .....16 A5
Croppers Rd *WARRW/BUR* WA5 .....16 B5
Crosby Av *WARRW/BUR* WA5 .....16 B5
Crosfield St *WARR* WA1 .....2 A2
Crossfield Av *GOL/RIS/CUL* WA3 .....9 E3
LYMM WA13 .....28 C3
The Crossings *NEWLW* WA12 .....5 F1
Cross La *GOL/RIS/CUL* WA3 .....14 C1
NEWLW WA12 .....5 E5
WARRS WA4 .....25 H4
Cross La South
GOL/RIS/CUL WA3 .....14 C2
Crossley St *WARR* WA1 .....2 E1
Cross St *WARRN/WOL* WA2 .....18 C4
The Cross *LYMM* WA13 .....28 B5
Crouchley Hall Ms *LYMM* WA13 * 28 C5
Crouchley La *LYMM* WA13 .....28 C5
Crowe Av *WARRN/WOL* WA2 .....12 C5
Crow La East *NEWLW* WA12 .....5 F2
Crow La West *NEWLW* WA12 .....4 D2
Crown Fields Cl *NEWLW* WA12 .....5 E2
Crown Gdns *NEWLW* WA12 .....5 E2
Crown Gn *LYMM* WA13 .....29 E3
Crown Park Dr *NEWLW* WA12 .....5 E2
Crown St *NEWLW* WA12 .....4 D3
WARR WA1 .....2 C2
Cuerdon Dr *WARRS* WA4 .....26 C5
Culbin Cl *GOL/RIS/CUL* WA3 .....15 F2
Culcheth Hall Dr
GOL/RIS/CUL WA3 .....9 E1
Cumberland St *WARRS* WA4 .....3 G6
Cuniiffe Av *NEWLW* WA12 .....5 E1
Cunningham Cl
WARRW/BUR WA5 .....22 C2
Curlew Gv *GOL/RIS/CUL* WA3 .....14 D5
Currans Rd *WARRN/WOL* WA2 .....18 B1
Curzon Dr *WARRS* WA4 .....31 H2
Cygnet Ct *WARR* WA1 .....2 B6
Cynthia Av *WARR* WA1 .....20 D4
Cypress Cl *WARR* WA1 .....20 D4
Cyril Bell Cl *LYMM* WA15 .....28 C5
Cyril St *WARRN/WOL* WA2 .....18 C4

D

Dagnail Av *WARRW/BUR* WA5 .....18 A1
Dairy Farm Cl *LYMM* WA13 .....28 C5
Daisy Av *NEWLW* WA12 .....5 F4
Daisy Bank Mill Cl
GOL/RIS/CUL WA3 .....8 D2
Daisy Bank Rd *LYMM* WA13 .....27 H3
WARRW/BUR WA5 * 22 C2
Daiby Cl *GOL/RIS/CUL* WA3 .....15 G5
Dale Cl *WARRW/BUR* WA5 .....23 G5
Dale La *WARRS* WA4 .....31 F2
The Dale *WARRW/BUR* WA5 .....22 C2
Dale Vw *NEWLW* WA12 .....5 H2
Dalewood Cl *WARRN/WOL* WA2 .....2 A1
Dallam Av *WARRN/WOL* WA2 * 18 B4
Dallam La *WARRN/WOL* WA2 .....2 B1
Dalton Av *WARRW/BUR* WA5 .....18 C4

Dalton Bank *WARR* WA1 .....3 F1
Dalton St *GOL/RIS/CUL* WA3 .....14 D5
Damian Dr *NEWLW* WA12 .....4 D1
Dam La *GOL/RIS/CUL* WA3 .....9 G1
WARR WA1 .....20 C4
Danby Cl *WARRN/WOL* WA2 .....17 H5
Danebank Rd *LYMM* WA15 .....28 B2
Danebank Rd East
LYMM WA15 .....28 B2
Daniel Cl *GOL/RIS/CUL* WA3 .....15 F4
Darley Av *WARRN/WOL* WA2 .....13 F5
Darnaway Cl
GOL/RIS/CUL WA3 .....15 G2
Dashwood Cl *WARRS* WA4 .....31 H2
Daten Av *GOL/RIS/CUL* WA3 .....14 D2
Davenham Av *WARR* WA1 .....19 F3
Davenport Av *WARRS* WA4 .....25 G1
David Rd *LYMM* WA15 .....27 H3
David's Av *WARRW/BUR* WA5 .....24 B5
Davies Av *NEWLW* WA12 .....5 F2
WARRS WA4 .....25 G2
Davies Wy *LYMM* WA13 .....28 A5
Davy Av *GOL/RIS/CUL* WA3 .....14 D5
Deacon Cl *GOL/RIS/CUL* WA3 .....7 H5
Dean Crs *WARRN/WOL* WA2 .....18 C1
Dean Meadow *NEWLW* WA12 .....5 F2
Deans La *WARRS* WA4 .....27 E3
Deanwater Cl
GOL/RIS/CUL WA3 .....14 C4
Deep Dl *WARRW/BUR* WA5 .....22 C1
Delafield Cl *WARRN/WOL* WA2 .....13 G5
Delamere St
WARRN/WOL WA2 .....23 H2
Delamere Wy *WARRS* WA4 .....34 B5
Delenty Dr *GOL/RIS/CUL* WA3 .....14 C4
Delery Dr *WARRS* WA4 .....19 F3
Dell Dr *WARRN/WOL* WA2 .....19 H1
Delphfields Rd *WARRS* WA4 .....30 D2
Delph La *WARRN/WOL* WA2 .....12 A4
WARRS WA4 .....31 G5
Delta Crs *WARRW/BUR* WA5 .....17 F2
Delves Av *WARRW/BUR* WA5 .....16 A4
Denbury Av *WARRS* WA4 .....25 G4
Dene Av *NEWLW* WA12 .....4 C2
Denehurst Ct
WARRW/BUR WA5 .....22 C3
Denham Av *WARRW/BUR* WA5 .....23 E2
Denise Av *WARRW/BUR* WA5 .....22 B2
Dennett Cl *WARR* WA1 .....20 D5
Densham Av
WARRN/WOL WA2 .....18 C1
Denver Rd *WARRS* WA4 .....25 F5
Derby Cl *NEWLW* WA12 .....5 E3
Derby Dr *WARR* WA1 .....19 G4
Derby Rd *WARRS* WA4 .....30 D1
Derby Rw *NEWLW* WA12 .....11 F1
Derby St *NEWLW* WA12 .....5 E3
Derek Av *WARRN/WOL* WA2 .....19 E2
Derwent Cl *GOL/RIS/CUL* WA3 .....15 F4
Derwent Rd *WARRS* WA4 .....24 B4
Devonshire Gdns *NEWLW* WA12 .....5 F4
Devonshire Rd *WARR* WA1 .....19 G3
Dewar St *GOL/RIS/CUL* WA3 .....14 D5
Dewhurst Rd
GOL/RIS/CUL WA3 .....14 C5
Dial St *WARR* WA1 .....2 D2
Dickenson St
WARRN/WOL WA2 .....18 D4
Dig La *WARRN/WOL* WA2 .....13 H4
Dingle Av *NEWLW* WA12 .....4 C4
Dingle Bank Cl *LYMM* WA15 .....28 B3
Dingle La *WARRS* WA4 .....31 G3
The Dingle *LYMM* WA13 .....28 B5
Dinglewway *WARRS* WA4 .....31 E1
Dipping Brook Av *WARRS* WA4 .....31 H5
Ditchfield Rd
WARRW/BUR WA5 .....22 B4
Dixon Av *NEWLW* WA12 .....5 F1
Dixon St *WARR* WA1 .....2 A3
Domville Cl *LYMM* WA13 .....31 H4
Dorchester Rd
WARRW/BUR WA5 .....23 E2
Dorchester Wy
WARRN/WOL WA2 .....10 C3
Dorney Cl *WARRS* WA4 .....31 F3
Dorothea St
WARRN/WOL WA2 .....18 D4
Dorset Wy *WARR* WA1 .....20 A3
Dounrey Ct *WARRN/WOL* WA2 .....10 A1
Dove Cl *GOL/RIS/CUL* WA3 .....15 E4
Dovecote Gn *WARRW/BUR* WA5 .....16 D5
Dovedale Cl *WARRN/WOL* WA2 .....13 F5
Dover Rd *WARRS* WA4 .....24 A4
Downham Av *GOL/RIS/CUL* WA3 .....9 G5
Drake Cl *WARRW/BUR* WA5 .....17 G5
The Drive *WARRS* WA4 .....29 G5
Druridge Dr
WARRW/BUR WA5 .....22 C3
Dryden St *WARRN/WOL* WA2 .....18 D1
Duckworth Gv
WARRN/WOL WA2 .....19 H2
Dudley Av *WARRW/BUR* WA5 .....18 C4
Dudlow Green Rd *WARRS* WA4 .....31 E4
Duke St *NEWLW* WA12 .....5 E3
Duncan Av *NEWLW* WA12 .....5 F1
Duncansby Crs
WARRW/BUR WA5 .....22 B1
Duncan St *WARRN/WOL* WA2 .....18 D4
Dundee Cl *WARRN/WOL* WA2 .....13 F4
Dundonald Av *WARRS* WA4 .....24 D5
Dunley Cl *GOL/RIS/CUL* WA3 .....15 F2
Dunlin Av *NEWLW* WA12 .....5 G2
Dunlin Cl *WARRN/WOL* WA2 .....13 F5
Dunlop St *WARRS* WA4 .....2 C6
Dunmow Rd *WARRS* WA4 .....26 B3
Dunnock Rd *GOL/RIS/CUL* WA3 .....15 F5
Dunnock Gv
GOL/RIS/CUL WA3 .....14 D4
Dunscar Cl *GOL/RIS/CUL* WA3 .....14 C5
Durham Cl *WARR* WA1 .....20 E4
Dutton St *WARR* WA1 .....2 D6
Duxford Ct *WARRN/WOL* WA2 .....10 A1
Dyers Cl *LYMM* WA13 .....28 D2
Dyers La *LYMM* WA13 .....28 D2

E

Eagle Brow *LYMM* WA13 .....28 B5
Eagle Park Dr *WARRN/WOL* WA2 .....18 B2
Ealing Rd *WARRW/BUR* WA5 .....22 D2
Earle Cl *NEWLW* WA12 .....4 C3
Earle St *NEWLW* WA12 .....4 C4
Earl St *WARRN/WOL* WA2 .....18 C4
East Av *WARRN/WOL* WA2 .....18 D5
WARRS WA4 .....25 E5
WARRW/BUR WA5 .....22 D5
Eastdale Rd *WARR* WA1 .....19 H4
Easter Ct *WARRW/BUR* WA5 .....17 E2
Eastford Rd *WARRS* WA4 .....24 B5
East Vw *WARRS* WA4 .....26 A4
Eastwood Av *NEWLW* WA12 .....6 A2
Eastwood Rd
GOL/RIS/CUL WA3 .....10 C2
Eaves Brow Rd
GOL/RIS/CUL WA3 .....14 A1
Eccleston St *GOL/RIS/CUL* WA3 .....14 B4
Edelsten St *WARRW/BUR* WA5 .....24 A1
Eden Av *GOL/RIS/CUL* WA3 .....9 H1
Edenbridge Gdns *WARRS* WA4 .....35 F1
Edgworth St *WARR* WA1 .....2 B2
Edward Gdns *WARR* WA1 .....21 E5
Edward Rd *WARRW/BUR* WA5 .....22 A1
Egerton Av *WARRS* WA4 .....19 F4
Egerton Rd *LYMM* WA13 .....27 H4
Egerton St *WARR* WA1 .....3 F2
WARRS WA4 .....24 D5
Egypt St *WARR* WA1 .....2 B3
Eisenhower Cl
WARRW/BUR WA5 .....23 E2
Elaine St *WARR* WA1 .....19 E4
Eldon St *WARR* WA1 .....3 G2
Elgin Av *WARRS* WA4 .....19 H3
Elizabeth Dr *WARR* WA1 .....18 A4
Ellen St *WARRW/BUR* WA5 .....24 C5
Ellesmere Rd *GOL/RIS/CUL* WA3 .....14 D4
WARRS WA4 .....24 C5
Ellesmere St *WARR* WA1 .....2 E3
Ellsworth Cl
WARRW/BUR WA5 .....17 F4
Elliott Av *WARR* WA1 .....19 F4
Ellison St *WARRS* WA4 .....25 E5
Elm Gv *WARR* WA1 .....19 G4
Elm Rd *WARRN/WOL* WA2 .....12 C4
WARRW/BUR WA5 .....22 C4
Elmsett Cl *WARRW/BUR* WA5 .....22 B2
Elm Tree Av *LYMM* WA13 .....28 A4
WARR WA1 .....19 G3
Elm Tree Rd *LYMM* WA13 .....28 A4
Elston Av *NEWLW* WA12 .....5 E1
Elton Cl *GOL/RIS/CUL* WA3 .....14 B4
Enfield Park Rd
WARRW/BUR WA5 .....13 F4
Ennerdale Av
WARRN/WOL WA2 .....12 C5
Enville St *WARRS* WA4 .....2 E5
Epping Dr *WARR* WA1 .....20 C5
Epsom Gdns *WARRS* WA4 .....31 F2
Eric Av *WARR* WA1 .....19 E4
Erwood St *WARRN/WOL* WA2 .....18 B5
Euclid Av *WARRS* WA4 .....26 A4
Europa Bvd *WARRW/BUR* WA5 .....17 G1
Eustace St *WARRN/WOL* WA2 .....2 A1
Evans Pl *WARR* WA1 .....3 H6
Evelyn St *WARRW/BUR* WA5 .....23 G3
Eversley Cl *WARRS* WA4 .....31 G4
Evesham Cl *WARRS* WA4 .....30 D1
Exmouth Wy
WARRW/BUR WA5 .....10 C3

F

Factory La *WARR* WA1 * 2 A4
WARRW/BUR WA5 .....24 A2
Fairbourne Cl
WARRW/BUR WA5 .....17 H1
Fairbrother Crs
WARRW/BUR WA5 .....19 F1
Fairclough Av *WARR* WA1 .....2 A4
Fairclough St *NEWLW* WA12 .....5 E3
Fairfax Rd *WARRS* WA4 .....10 B5
Fairfield Gdns *WARRS* WA4 .....25 F4
Fairfield Rd *LYMM* WA13 .....28 C3
WARRS WA4 .....25 E4
Fairfield St *WARR* WA1 .....18 D5
Fairhaven Cl
WARRS WA4 .....31 H4
Fairways *WARRS* WA4 .....31 H4
Falcondale Rd
WARRN/WOL WA2 .....12 C2
Falconers Gn
WARRW/BUR WA5 .....17 E2
Fallowfield Gv
WARRN/WOL WA2 .....20 A2
Falmouth Dr
WARRS WA4 .....22 B4
Falstone Cl *GOL/RIS/CUL* WA3 .....15 C2
Fanners La *KNUT* WA16 .....33 H4
Faraday St *GOL/RIS/CUL* WA3 .....14 D5
Faringdon Rd
WARRW/BUR WA5 .....22 C2
Farmer's La
WARRW/BUR WA5 .....10 D3
Farm La *WARRS* WA4 .....31 F1
Farmieigh Gdns
WARRS WA4 .....23 F1
Farmside *GOL/RIS/CUL* WA3 .....17 H5
Farm Wy *NEWLW* WA12 .....5 H5
Farndale Cl *WARRW/BUR* WA5 .....16 C5
Farnham Cl *WARRS* WA4 .....31 F2
Farnworth Rd
WARRN/WOL WA2 .....19 H3
Farrell Rd *WARRS* WA4 .....30 D1
Farrell St *WARR* WA1 .....3 G2

Farringdon Rd
WARRN/WOL WA2 .....12 C2
Fearnhead Cross
WARRN/WOL WA2 * 19 F2
Fearnhead La
WARRN/WOL WA2 .....22 B3
Fennel St *WARR* WA1 .....2 D2
Ferguson Dr *WARRN/WOL* WA2 .....19 E2
Fern Av *NEWLW* WA12 .....5 G4
Fernbank Cl *GOL/RIS/CUL* WA3 .....14 D4
Fern Cl *GOL/RIS/CUL* WA3 .....14 C4
Ferndale Cl *WARR* WA1 .....20 B4
Ferry La *WARRS* WA4 .....26 D2
Festival Av *WARRW/BUR* WA5 .....23 E2
Festival Crs *WARRN/WOL* WA2 .....19 E1
Fieldfare Cl *GOL/RIS/CUL* WA3 .....15 E4
Field La *WARRS* WA4 .....30 D3
Fieldview Dr
WARRN/WOL WA2 .....18 D2
Fife Rd *WARR* WA1 .....19 F4
Fildes Cl *WARRW/BUR* WA5 .....23 F2
Findlay Cl *NEWLW* WA12 .....5 F4
Finlay Av *WARRW/BUR* WA5 .....22 B4
Finningley Ct
WARRN/WOL WA2 .....19 F2
Finsbury Cl
WARRW/BUR WA5 .....23 F5
Firecrest Ct *WARR* WA1 .....2 B6
Fir Gv *WARR* WA1 .....19 G4
Firman Ct *WARRW/BUR* WA5 .....17 E4
Firs La *WARRS* WA4 .....30 C3
Firtree Av *WARR* WA1 .....19 H3
Fir Tree Cl *WARRS* WA4 .....15 C3
Fir Tree La
WARRW/BUR WA5 .....10 D3
Fisher Av *WARRN/WOL* WA2 .....18 C2
Fisherfield Dr
WARRW/BUR WA5 .....15 F2
Fitzherbert St
WARRN/WOL WA2 .....18 D4
Fitzwalter Rd *WARR* WA1 .....20 C4
Flaxley Cl *GOL/RIS/CUL* WA3 .....15 F3
Fleetwood Cl
WARRW/BUR WA5 .....23 E3
Fleetwood Dr *NEWLW* WA12 .....5 E2
Fleming Dr
WARRN/WOL WA2 .....12 B2
Flers Av *WARRS* WA4 .....2 E7
Fletchers La *LYMM* WA13 .....28 C2
Fletcher St *WARRS* WA4 .....2 C1
Florence St *WARRS* WA4 .....3 G6
Florida Cl *WARRN/WOL* WA2 .....10 B5
Folly La *WARRW/BUR* WA5 .....18 B4
Forbes Cl *GOL/RIS/CUL* WA3 .....15 E4
Fordington Rd
WARRW/BUR WA5 .....23 E2
Ford St *WARR* WA1 .....19 E5
Forge Rd *WARRW/BUR* WA5 .....22 C2
Formby Cl *WARRW/BUR* WA5 .....22 C3
Forrest Wy *WARRW/BUR* WA5 .....23 G4
Forshaw's La
WARRW/BUR WA5 .....10 B1
Forshaw St *WARRN/WOL* WA2 .....19 E2
Forster St *WARRN/WOL* WA2 .....2 C1
Fothergill St *WARR* WA1 .....19 E4
Foundry St *NEWLW* WA12 .....5 E3
Foxfield Cl *WARRN/WOL* WA2 .....13 F5
Fox Gdns *LYMM* WA13 .....27 H2
Foxhills Cl *WARRS* WA4 .....35 E1
Foxley Cl *LYMM* WA13 .....35 E1
Foxley Hall Ms *LYMM* WA13 * 28 D5
Fox St *WARRW/BUR* WA5 .....23 H2
Francis Rd *WARRS* WA4 .....24 C5
Franklin Cl *WARRW/BUR* WA5 .....17 F4
Fraser Rd *WARRW/BUR* WA5 .....22 A1
Frawley Av *NEWLW* WA12 .....5 G3
Freckleton Cl
WARRW/BUR WA5 .....23 E3
Frederick St *WARRS* WA4 .....3 H7
Freshfields Dr
WARRW/BUR WA5 .....20 A2
Freshwater *WARRW/BUR* WA5 .....16 A5
Freswater Cl
WARRW/BUR WA5 .....16 A5
Friars Av *WARRW/BUR* WA5 .....22 B2
Friars Ga *WARR* WA1 .....2 C1
Friars La *WARR* WA1 .....2 C1
Friends La *WARRW/BUR* WA5 .....22 A1
Frobisher Ct
WARRW/BUR WA5 .....17 G4
Froghall La *WARRN/WOL* WA2 .....2 A1
WARRW/BUR WA5 .....24 A1

G

Gables Cl *WARRN/WOL* WA2 .....13 G5
Gable St *WARRN/WOL* WA2 .....18 B2
Gainsborough Rd *WARRS* WA4 .....24 C4
Gairloch Cl *WARRN/WOL* WA2 .....13 G4
Gale Av *WARRW/BUR* WA5 .....18 A2
Garner St *WARRN/WOL* WA2 .....18 D4
Garnett Av *WARRS* WA4 .....25 G2
Garrett Fld *GOL/RIS/CUL* WA3 .....14 B4
Garsdale Cl *WARRW/BUR* WA5 .....16 C5
Garven Pl *WARR* WA1 .....2 B3
Garwood Cl *WARRW/BUR* WA5 .....14 D4
Gaskell Av *WARRS* WA4 .....25 H3
Gaskell St *WARRS* WA4 .....24 D5
Gateley Cl *WARRS* WA4 .....26 D3
Gate Warth St
WARRS WA4 * 23 G4
Gawsworth Ct
GOL/RIS/CUL WA3 * 15 E2
Gayhurst Av
WARRN/WOL WA2 .....19 G1
General St *WARR* WA1 .....2 D2
George Rd *WARRW/BUR* WA5 .....23 F3
Georges Crs *WARRS* WA4 .....26 A4
George St *NEWLW* WA12 * 5 E3
Gerosa Av *WARRN/WOL* WA2 .....6 C5

Gerrard Av *WARRW/BUR* WA5 .....
Gerrard Rd *GOL/RIS/CUL* WA3 .....
Gibson St *WARR* WA1 .....
WARRS WA4 .....
Gigg La *WARRS* WA4 .....
Gig La *WARR* WA1 .....
Gilderdale Cl *GOL/RIS/CUL* WA3 .....
Gilwell Cl *WARRS* WA4 .....
Gladstone St *WARRN/WOL* WA2 .....
Gladstone Wy *NEWLW* WA12 .....
Glazebrook St *WARR* WA1 .....
Glaziers La *GOL/RIS/CUL* WA3 .....
Gleave Rd *WARRW/BUR* WA5 .....
Glebe Av *WARRS* WA4 .....
Glebeland *GOL/RIS/CUL* WA3 .....
Gloucester Cl *WARR* WA1 .....
Glover Rd *GOL/RIS/CUL* WA3 .....
Glover St *NEWLW* WA12 .....
Godfrey St *WARRN/WOL* WA2 .....
Godshill Cl *WARRW/BUR* WA5 .....
Golborne Dale Rd
NEWLW WA12 .....
Golborne Rd
WARRN/WOL WA2 .....
Golborne St *NEWLW* WA12 .....
WARR WA1 .....
Goldcliffe Cl *WARRW/BUR* WA5 .....
Goldfinch La *GOL/RIS/CUL* WA3 .....
Gooch Dr *NEWLW* WA12 .....
Goose La *WARRS* WA4 .....
Gordale Cl *WARRW/BUR* WA5 .....
Gordon Av *WARR* WA1 .....
Gorse Covert Rd
GOL/RIS/CUL WA3 .....
Gorsey La *WARRN/WOL* WA2 .....
Gosling Rd *GOL/RIS/CUL* WA3 .....
Gosport Cl *WARRN/WOL* WA2 .....
Gough Av *WARRN/WOL* WA2 .....
Goulden St *WARRN/WOL* WA2 .....
Grace Av *WARRW/BUR* WA5 .....
Crafton St *NEWLW* WA12 .....
Grammar School Ct
WARRS WA4 * .....
Grammar School Rd
LYMM WA13 .....
WARRS WA4 .....
Granby Rd *WARRS* WA4 .....
Grange Av *WARRS* WA4 .....
Grange Dr
WARRN/WOL WA2 .....
Grange Farm Cl
WARRS WA4 .....
Grange Rd *RNFD/HAY* WA11 .....
Granston Cl
WARRW/BUR WA5 .....
Grant Cl *WARRW/BUR* WA5 .....
Grantham Av *WARR* WA1 .....
WARRS WA4 .....
Grant Rd *WARRW/BUR* WA5 .....
Granville St *WARR* WA1 .....
Grappenhall La
WARRS WA4 .....
Grappenhall Rd *WARRS* WA4 .....
Grasmere Av
WARRN/WOL WA2 .....
Grasmere Av *LYMM* WA13 .....
Greeba Av *WARRS* WA4 .....
The Greenacres *LYMM* WA13 .....
Greenall Av
WARRW/BUR WA5 .....
Greenall's Av *WARRS* WA4 .....
Greenbank Gdns *WARRS* WA4 .....
Greenbank Rd *WARRS* WA4 .....
Greenfields Av *WARRS* WA4 .....
Greenfields Cl *NEWLW* WA12 .....
Green Jones Brow
WARRW/BUR WA5 .....
Green La *WARR* WA1 .....
WARRN/WOL WA2 .....
WARRS WA4 .....
Green Lane Cl
WARRN/WOL WA2 .....
Greenshank Cl *NEWLW* WA12 .....
Green St *WARRW/BUR* WA5 * .....
Green Vw *LYMM* WA13 .....
Greenway *WARR* WA1 .....
WARRS WA4 .....
WARRW/BUR WA5 .....
Greenwood Cl
GOL/RIS/CUL WA3 .....
Greenwood Crs
WARRN/WOL WA2 .....
Greenwood Dr *NEWLW* WA12 .....
Greenwood Rd *LYMM* WA13 .....
Gregory Cl *WARRW/BUR* WA5 .....
Gresford Cl *WARRW/BUR* WA5 .....
Greymist Av *WARR* WA1 .....
Grey St *WARR* WA1 * .....
Greystone Rd
WARRW/BUR WA5 .....
Grey St *WARR* WA1 .....
Grice St *WARRS* WA4 .....
Griffin Cl *WARRW/BUR* WA5 .....
Griffith Av *GOL/RIS/CUL* WA3 .....
Griffiths St *WARRS* WA4 .....
Grisedale Av *WARRW/BUR* WA5 .....
Groarke Dr *WARRW/BUR* WA5 .....
Grosvenor Av *WARR* WA1 .....
Grosvenor Cl
WARRW/BUR WA5 .....
Grosvenor Gdns *NEWLW* WA12 .....
Grosvenor Gra *WARR* WA1 .....
Grounds St *WARRN/WOL* WA2 .....
Grove Av *LYMM* WA13 .....
Grove Rd *WARRS* WA4 .....
Grove St *WARRS* WA4 .....
The Grove *LYMM* WA13 .....
Guardian St *WARRW/BUR* WA5 .....
Guernsey Cl *WARRS* WA4 .....
Guildford Cl *WARRN/WOL* WA2 .....

Marson St *WARRN/WOL* WA2..........2 B1
Martham Cl *WARRS* WA4 ....25 H3
Martin Av *NEWLW* WA12..................5 E1
WARRN/WOL WA2......................19 E2
Marton Cl *GOL/RIS/CUL* WA3 ....8 D1
Maryland Cl *WARRW/BUR* WA5.....17 F5
Mason Av *WARR* WA1 ....19 F3
Mason St *WARR* WA1..........................3 F3
Massey Av *LYMM* WA13 ....27 F4
WARRW/BUR WA5.........................18 A1
Massey Brook La *LYMM* WA13 .....27 G4
Mathers Cl *WARRN/WOL* WA2 ....13 H4
Matlock Cl *WARRW/BUR* WA5 ......16 D4
Matthews St *WARR* WA1 ....19 E4
Mawdsley Av *WARR* WA1 ....20 D4
Mawson Cl *WARRW/BUR* WA5.......17 G4
Maxwell St *GOL/RIS/CUL* WA3 ......14 D2
Mayberry Gv
WARRN/WOL WA2 ....19 H2
Mayfair Cl *WARRW/BUR* WA5 .....16 A5
Mayfield Rd *WARRS* WA4 ....25 H4
Mayfield Vw *LYMM* WA13 ....28 B4
Maythorn Av
GOL/RIS/CUL WA3.......................13 H1
McCarthy Cl *GOL/RIS/CUL* WA3 ....15 F5
McKee Av *WARRN/WOL* WA2 ....18 C1
Meadow Av *WARRS* WA4 ....24 B4
Meadow La *WARRN/WOL* WA2 ......19 H1
Mead Rd *WARR* WA1 ....19 H3
Medway Cl *WARRN/WOL* WA2 ....19 F1
Medway Rd *GOL/RIS/CUL* WA3 ......9 F3
Meeting La *WARRW/BUR* WA5......22 A2
Melbury Ct *GOL/RIS/CUL* WA3 ......15 E2
Melford Ct *WARR* WA1 * 20 C3
Melrose Av *WARRS* WA4 ....31 E1
WARRW/BUR WA5.........................10 C2
Melton Av *WARRS* WA4...................30 C1
Melville Cl *WARRN/WOL* WA2.......18 C4
Mendip Av *WARRN/WOL* WA2 ......12 C5
Menin Av *WARRS* WA4 ....2 E7
Menlow Cl *WARRS* WA4 ....26 B5
Mentmore Gdns *WARRS* WA4 ......31 G4
Mercer St *NEWLW* WA12..................5 G2
WARRW/BUR WA5.........................10 B3
Meredith Av *WARRS* WA4...............26 A4
Mere Rd *NEWLW* WA12 ....6 A1
WARRN/WOL WA2 ....19 H1
Merewood Cl
WARRN/WOL WA2 ....13 E5
Merrick Cl *WARRN/WOL* WA2........19 F1
Mersey St *WARR* WA1 ....2 D4
Mersey Wk *WARRS* WA4 ....25 G1
Mersey Wy *WARRW/BUR* WA5........23 F3
Mertoun Rd *WARRS* WA4 ....24 C5
Meteor Crs *WARRN/WOL* WA2 ....19 E1
The Mews *WARRW/BUR* WA5 * 10 B3
Middlehurst Rd *WARRS* WA4 ....25 H4
Midland Wy *WARR* WA1 ....2 A2
Miles Cl *GOL/RIS/CUL* WA3 ....15 E5
Milford Gdns *WARRS* WA4 ....31 E5
Mill Av *WARRW/BUR* WA5...............16 B5
Millbank *LYMM* WA13 ....28 B3
Mill Cl *WARRN/WOL* WA2................13 F4
Millers La *LYMM* WA13 ....29 E1
Miller St *WARRS* WA4..........................3 F5
Mill Farm Cl *WARRN/WOL* WA2 ...13 F5
Millhouse Av *WARRS* WA4 ....25 E5
Millhouse La *GOL/RIS/CUL* WA3....13 H2
Mill La *LYMM* WA13 ....29 F1
NEWLW WA12 ....5 H3
WARRN/WOL WA2 ....11 H4
WARRN/WOL WA2 ....13 F4
WARRS WA4 ....25 F4
Mill Meadow *NEWLW* WA12..............5 H3
Milner St *WARRW/BUR* WA5..........24 A1
Milnthorpe Rd
WARRW/BUR WA5.........................10 B3
Milton Av *NEWLW* WA12..................5 E3
Milton Gv *WARRS* WA4 ....3 H7
Milvain Dr *WARRN/WOL* WA2........18 D2
Minerva Cl *WARRS* WA4 ....25 E4
Mitchell Av *WARRW/BUR* WA5......10 B4
Mitchell St *WARRS* WA4 ....30 D1
Mobberley Cl *WARRS* WA4 ....26 C3
Molly Pitcher Wy
WARRW/BUR WA5..........................23 E2
Molyneux Av
WARRW/BUR WA5..........................18 A3
Monks St *WARRW/BUR* WA5 * 23 H1
Monkswood Cl
WARRW/BUR WA5..........................17 H2
Monmouth Cl *WARR* WA1..............20 D4
Monroe Cl *WARR* WA1....................20 A4
Montclare Crs *WARRS* WA4 ....25 F5
Montcliffe Cl
GOL/RIS/CUL WA3.........................14 B3
Montrose Cl *WARRN/WOL* WA2 ....13 G4
Moore Av *WARRS* WA4 ....26 C3
Moore Gv *LYMM* WA13 ....29 E1
Morgan Av *WARRN/WOL* WA2.......18 D1
Morley Rd *WARRS* WA4.................24 B5
Morley St *WARR* WA1 ....3 F1
Morris Av *WARRS* WA4 ....25 G2
Morrison Cl *WARRW/BUR* WA5 ....22 D2
Mort Av *WARRS* WA4.....................25 H2
Mortimer Av
WARRN/WOL WA2.........................18 C3
Morton Cl *WARRW/BUR* WA5........17 F4
Morven Cl *WARRN/WOL* WA2........13 F5
Moseley Av *WARRS* WA4...............25 H2
Moss Cl *WARRS* WA4 ....25 F4
Mossdale Cl *WARRW/BUR* WA5 ....16 D5
Moss Ga *GOL/RIS/CUL* WA3 ....15 F3
Moss Gv *LYMM* WA13 ....29 E2
Mosshall La *WARRS* WA4 ....35 G3
Moss Rd *WARRS* WA4 ....25 H3
Moston Gv *LYMM* WA13................26 B3
Mottram Cl *WARRS* WA4...............26 A3
Moulders La *WARR* WA1 ....2 D4
Moxon Av *WARRS* WA4.................25 G1
Muirfield Cl *WARRN/WOL* WA2 ....13 H5
Mulberry Cl *WARR* WA1 ....20 D4
Mulberry Ct *WARRS* WA4 * 25 E5
Mullen Cl *WARRW/BUR* WA5 * 18 A5
Mullins Av *NEWLW* WA12 ....5 F1
Mullion Gv *WARRN/WOL* WA2 ......19 H2
Muriel Cl *WARRW/BUR* WA5..........22 A1
Museum St *WARR* WA1 ....2 A4
Mustard La *GOL/RIS/CUL* WA3........8 A5
Myddleton La
WARRN/WOL WA2 ....12 C2
Myrtle Av *NEWLW* WA12...................5 F4
Myrtle Gv *WARRS* WA4 ....3 H6

N

Nairn Cl *WARRN/WOL* WA2............13 H5
Nansen Cl *WARRW/BUR* WA5.........17 G5
Napier St *WARR* WA1........................2 E3
Nares Cl *WARRW/BUR* WA5 ....17 F3
Navigation St *WARR* WA1..................3 G3
Naylor St *WARR* WA1 ....2 D2
Nelson Rd *GOL/RIS/CUL* WA3 ....14 C4
Nelson St *NEWLW* WA12..................4 D3
Nevada Cl *WARRW/BUR* WA5........17 E5
Neville Av *WARRN/WOL* WA2 ....19 E2
Neville Crs *WARRW/BUR* WA5 ......22 D4
Neville St *NEWLW* WA12 ....4 D3
Newborough Cl
WARRW/BUR WA5.........................17 G2
Newbridge Cl
WARRW/BUR WA5.........................17 F2
Newchurch La
GOL/RIS/CUL WA3 ....9 E3
Newcombe Av
WARRN/WOL WA2 ....19 E3
New Cut La *WARR* WA1 ....20 A5
Newfield Ct *LYMM* WA13 ....28 D1
Newfield Rd *LYMM* WA13..............28 A3
New Hall La *GOL/RIS/CUL* WA3 ......8 D4
Newhaven Rd
WARRN/WOL WA2 ....12 C4
Newlands Rd *WARRS* WA4 ....25 G4
New La *GOL/RIS/CUL* WA3 ....13 H1
WARRS WA4 ....32 A4
Newlyn Gdns
WARRW/BUR WA5..........................22 A4
New Manchester Rd
WARR WA1......................................19 H4
Newman St *WARRS* WA4 ....25 G3
New Rd *LYMM* WA13.....................28 B3
WARRS WA4 ....2 E5
Newsholme Cl
GOL/RIS/CUL WA3 ....9 E2
Newton Av *GOL/RIS/CUL* WA3 ......14 D3
Newton Gv *WARRN/WOL* WA2.......13 G5
Newton Park Dr *NEWLW* WA12........6 A3
Newton Rd *WARRN/WOL* WA2.........6 A5
Nicholls St *WARRS* WA4 ....26 A4
Nicholson St *WARR* WA1................24 A1
Nicol Av *GOL/RIS/CUL* WA3...........21 E2
Nightingale Cl
GOL/RIS/CUL WA3.........................15 E4
Noble Cl *GOL/RIS/CUL* WA3 ....14 D5
Nook La *WARRN/WOL* WA2 ....20 A1
WARRS WA4....................................25 H3
Nora St *WARR* WA1 ....3 F3
Norbreck Cl *WARRW/BUR* WA5 ....22 D3
Norbreck Crs
WARRW/BUR WA5..........................22 D3
Norbury Av *WARRN/WOL* WA2 ....19 E3
Norcott Av *WARRS* WA4 ....25 E4
Norcott Dr *WARRW/BUR* WA5.......10 C3
Norden Cl *GOL/RIS/CUL* WA3 ....14 B3
Norfolk Dr *WARRW/BUR* WA5 ......22 B1
Norman Av *NEWLW* WA12 ....5 H3
Normanby Cl
WARRW/BUR WA5..........................17 H5
Norman St *WARRN/WOL* WA2 ......18 C5
Norreys Av *WARRW/BUR* WA5.......18 A3
Norris St *WARRN/WOL* WA2 ....18 D3
North Av *WARRN/WOL* WA2...........18 C3
Northdale Rd *WARR* WA1...............19 H3
Northolt Ct *WARRN/WOL* WA2.......19 F2
North Park Brook Rd
WARRW/BUR WA5..........................17 H3
North St *NEWLW* WA12....................4 C2
North Vw *WARRW/BUR* WA5 ....16 B5
Northway *LYMM* WA13 ....28 A2
WARRN/WOL WA2 ....18 C1
Northwich Rd *WARRS* WA4 ....35 G5
Northwood Av *NEWLW* WA12 ....6 A1
Norton Av *WARRW/BUR* WA5 ....22 B2
Nottingham Cl *WARR* WA1.............20 C5
Nuttall Ct *GOL/RIS/CUL* WA3 ....14 B4

O

Oak Av *NEWLW* WA12 ....5 F3
Oakdale Av *WARRS* WA4................25 E5
Oakdene Av *WARR* WA1.................20 B4
Oaklands Dr *LYMM* WA13..............28 A4
Oakland St *WARR* WA1 ....19 F4
Oakmere Dr *WARRW/BUR* WA5.....22 C4
Oak Rd *LYMM* WA13 ....27 H3
WARRW/BUR WA5..........................22 C4
Oak St *GOL/RIS/CUL* WA3 ....13 H1
Oakways *WARRS* WA4....................31 E4
Oak Wharf Ms *WARRS* WA4 * 30 D1
Oakwood Av *WARR* WA1 ....19 E4
Oakwood Ga
GOL/RIS/CUL WA3..........................14 C4
Oban Gv *WARRN/WOL* WA2 ....13 H5
Old Cherry La *LYMM* WA13 ....33 F3
Old Chester Rd *WARRS* WA4 ....30 A2
Oldfield Rd *LYMM* WA13................27 H2
Old Hall Cl *WARRS* WA4.................30 B1
Old Hall Rd *WARRW/BUR* WA5.......17 G4
Oldham St *WARRS* WA4 ....3 F6
Old Liverpool Rd
WARRW/BUR WA5..........................23 H3
Old Market Pl *WARR* WA1................2 B2
Old Pewterspear La
WARRS WA4.....................................35 E1
Old Rd *WARRS* WA4 ....2 D5
Old School House La
WARRN/WOL WA2.........................12 B1
Old Smithy La *LYMM* WA13 ....27 H4
Old Wargrave Rd *NEWLW* WA12 ....5 E3
O'Leary St *WARRN/WOL* WA2........18 D4
Oliver St *WARRN/WOL* WA2 ....18 C5
Ollerton Cl *WARRS* WA4 ....26 A3
Ollerton Pk *WARRW/BUR* WA5 ....10 B2
Omega Bvd *WARRW/BUR* WA5 ....16 B4
Orange Gv *WARRN/WOL* WA2 ......19 F1
Orchard Av *LYMM* WA13 ....28 C3
Orchard Rd *LYMM* WA13 ....29 E1
Orchard St *WARR* WA1 ....2 E2
WARRN/WOL WA2 ....19 H1
WARRS WA4 ....30 D1
Ordnance Av
GOL/RIS/CUL WA3..........................15 E4
Orford Av *WARRN/WOL* WA2 ....18 D4
Orford Gn *WARRN/WOL* WA2.........19 E2
Orford La *WARRN/WOL* WA2 ....18 C5
Orford Rd *WARRN/WOL* WA2..........19 E3
Orford St *WARR* WA1 ....2 D2
Orion Bvd *WARRW/BUR* WA5.........16 B3
Orrell Cl *WARRW/BUR* WA5 ....22 D1
Osborne Av *WARRN/WOL* WA2 ....19 E5
Osborne Rd *WARRS* WA4 ....24 C5
Osprey Cl *WARRN/WOL* WA2 ....13 F5
Oughtrington Crs
LYMM WA13.....................................29 E3
Oughtrington La *LYMM* WA13......28 D4
Oughtrington Vw *LYMM* WA13.....29 E2
Owen St *WARRN/WOL* WA2 ....18 B4
Owlsfield *NEWLW* WA12 ....5 H3
Oxenham Rd
WARRN/WOL WA2..........................12 B5
Oxford Ct *WARR* WA1 ....3 G1
Oxford St *NEWLW* WA12..................4 D3
WARRS WA4 ....3 F5
Oxmead Cl *WARRN/WOL* WA2 ....20 A2

P

Paddington Bank *WARR* WA1 ....19 G5
The Paddock *LYMM* WA13............29 F2
Padgate La *WARR* WA1..................19 F4
Padstow Cl
WARRW/BUR WA5..........................22 B4
Paignton Cl
WARRW/BUR WA5..........................22 B3
Palin Dr *WARRW/BUR* WA5 ....22 C1
Palliser Cl *GOL/RIS/CUL* WA3 ....15 F5
Palmer Crs *WARRW/BUR* WA5......17 G4
Palmyra Sq North *WARR* WA1.........2 B3
Palmyra Sq South *WARR* WA1.........2 B4
Pangbourne Cl *WARRS* WA4 ....31 F3
The Parade *GOL/RIS/CUL* WA3 * 8 D2
The Parchments *NEWLW* WA12 ....5 G2
Park Av *WARRS* WA4........................3 G7
Park Av North *NEWLW* WA12 ....5 F4
Park Av South *NEWLW* WA12 ....5 F4
Park Bvd *WARR* WA1........................2 C5
Park Crs *WARRS* WA4 ....31 E3
Parkdale Rd *WARR* WA1.................19 H4
Parker St *WARR* WA1 ....2 A4
Parkfield Av *WARRS* WA4...............25 H2
Parkfields La
WARRN/WOL WA2..........................19 G1
Parkgate Rd *WARRS* WA4..............25 E5
Parkland Cl *WARRS* WA4...............32 A5
Park La *WARRS* WA4 ....30 A4
Park Rd *WARRN/WOL* WA2............19 E2
WARRW/BUR WA5..........................22 B1
Park Rd North *NEWLW* WA12 ....5 H3
Park Rd South *NEWLW* WA12 ....5 G4
Parkside Rd *NEWLW* WA12..............6 C4
Parksway *WARR* WA1 ....20 C4
The Park *WARRW/BUR* WA5..........22 A4
Park Vw *WARRN/WOL* WA2 * 13 F5
Parkview Pk *LYMM* WA13 ....29 G5
Parkwood Cl *LYMM* WA13 ....28 A4
Parr St *WARR* WA1............................2 E4
Parrs Wood View *WARRS* WA4 .....25 H5
Parry Dr *WARRS* WA4 ....26 D3
Parsonage Wy
WARRW/BUR WA5..........................22 D2
Partridge Cl *GOL/RIS/CUL* WA3 ....14 D4
Pasture Dr *GOL/RIS/CUL* WA3 ....13 H1
Pasture La *WARRN/WOL* WA2 ......20 A2
Patrivale Cl *WARR* WA1..................19 G4
Patten La *WARR* WA1 * 2 C3
Patterdale Av
WARRN/WOL WA2..........................18 D1
Patterson Cl
GOL/RIS/CUL WA3 ....14 D5
Patterson St *NEWLW* WA12 ....5 E2
Paul Cl *WARRW/BUR* WA5 ....22 A1
Paul St *WARRN/WOL* WA2 ....2 A1
Payne Cl *WARRW/BUR* WA5 ....23 E4
Paythorne Cl *GOL/RIS/CUL* WA3 ....9 E2
Peace Dr *WARRW/BUR* WA5 ....23 G2
Peacock Av *WARR* WA1..................19 F5
Pearson Av *WARRS* WA4...............25 E4
Peartree Pl *WARRS* WA4..................2 E5
Peasley Cl *WARRN/WOL* WA2........20 A2
Peel Cl *WARR* WA1 ....20 C5
Peel St *NEWLW* WA12 ....4 D3
Pelham Rd *WARRS* WA4 ....26 B3
Pembroke Gdns *WARRS* WA4 ......31 E5
Pendine Cl *WARRW/BUR* WA5 ......17 F2
Pendlebury St *WARRS* WA4 ....25 G3
Pendle Gdns
GOL/RIS/CUL WA3............................8 D2
Penketh Av *WARRW/BUR* WA5 ....18 A3
Penketh Rd *WARRW/BUR* WA5 ....22 D3
Penkford La *WARRW/BUR* WA5 ......4 A5
Penmark Cl *WARRW/BUR* WA5 ....17 F2
Pennant Cl *GOL/RIS/CUL* WA3 ......15 F5
Pennine Rd *WARRN/WOL* WA2 .....19 F1
Pennington Dr *NEWLW* WA12 ....5 H3
Penny La *WARRW/BUR* WA5 ....10 A1
Penrith Av *WARRN/WOL* WA2 ......12 D5
Penrose Gdns
WARRW/BUR WA5..........................22 A4
Penryn Cl *WARRW/BUR* WA5........22 B3
Pensarn Gdns
WARRW/BUR WA5 * 17 G2
Pentland Av *WARRN/WOL* WA2....12 C5
Pentland Pl *WARRN/WOL* WA2 .....12 C5
The Peppers *LYMM* WA13 ....28 C3
Pepper St *LYMM* WA13..................28 B3
WARRS WA4....................................35 H1
Percival St *WARR* WA1 ....2 E3
Percy St *WARRW/BUR* WA5 *.........23 H2
Perrins Rd *WARRW/BUR* WA5 ......10 C3
Perth Cl *WARRN/WOL* WA2............13 G4
Peter Salem Dr
WARRW/BUR WA5..........................23 E1
Petersfield Gdns
GOL/RIS/CUL WA3............................8 D1
Petersham Dr *WARRS* WA4 ....31 F4
Peterstone Cl
WARRW/BUR WA5..........................17 G2
Petworth Av
WARRN/WOL WA2..........................12 C5
Peveril Cl *WARRS* WA4 ....31 E2
Pewterspear Green Rd
WARRS WA4....................................35 F1
Pewterspear La *WARRS* WA4........31 E5
Pheasant Cl *GOL/RIS/CUL* WA3 ....15 E4
Philips Dr *WARRW/BUR* WA5 ....22 B1
Phipps' La *WARRW/BUR* WA5 ....10 B2
Phoenix Av *WARRW/BUR* WA5 ....18 A1
Phythian Crs
WARRW/BUR WA5..........................22 C3
Pichael Nook *WARRS* WA4 ....25 H2
Pickering Crs *WARRS* WA4 ....26 C3
Pickmere St *WARRW/BUR* WA5.....23 H2
Picton Cl *GOL/RIS/CUL* WA3 ....14 B4
Pierpoint St
WARRW/BUR WA5..........................18 A4
Pigot Pl *WARRS* WA4......................25 G1
Pike St *WARRS* WA4.......................24 D5
Pilgrim Cl *WARRN/WOL* WA2 ....12 B2
Pillmoss La *WARRS* WA4...............34 B3
Pine Av *NEWLW* WA12......................5 F4
Pine Gv *WARR* WA1 ....19 H4
Pineways *WARRS* WA4 ....31 E4
Pinewood Av *WARR* WA1...............19 F4
Pinewood Rd
WARRW/BUR WA5..........................10 C2
Pinners Brow
WARRN/WOL WA2 ....18 C5
Pipit Av *NEWLW* WA12.....................5 F3
Pipit La *GOL/RIS/CUL* WA3 ....14 D5
Pitt St *WARRW/BUR* WA5 ....18 A5
Pleasance Wy *NEWLW* WA12..........5 F2
Plinston Av *WARRS* WA4................25 G2
Plover Cl *NEWLW* WA12 ....5 F3
Plumtre Av *WARRW/BUR* WA5 ....18 A3
Poachers' La *WARRS* WA4 ....25 G3
Pocklington Ct
WARRN/WOL WA2..........................19 G2
Polperro Cl *WARRW/BUR* WA5 ....22 B4
Poole Av *WARRN/WOL* WA2..........18 C1
Poole Crs *WARRN/WOL* WA2 ....18 C1
Pool La *LYMM* WA13 ....27 H2
WARRS WA4....................................24 B5
Poplar Av *GOL/RIS/CUL* WA3 ....9 E2
NEWLW WA12 ....5 G3
WARRW/BUR WA5..........................22 B3
Poplars Av *WARRN/WOL* WA2 ......12 C4
The Poplars *LYMM* WA13 ....28 A2
Porlock Cl *WARRW/BUR* WA5 ......22 B3
Porter Av *NEWLW* WA12..................5 F1
Portland St *NEWLW* WA12 ....4 C2
Portola Cl *WARRS* WA4 ....26 B4
Poulton Crs *WARR* WA1 ....20 C3
Povey Rd *WARRN/WOL* WA2 ....18 D2
Powell Av *GOL/RIS/CUL* WA3 ....14 D4
Powell St *WARRS* WA4 ....25 G3
Powys St *WARRW/BUR* WA5 ....24 A1
Poynton Cl *WARRS* WA4................26 A3
Prescott St *WARRS* WA4..................3 J7
Prestbury Dr *WARRS* WA4 ....26 C3
Prestwich Av *GOL/RIS/CUL* WA3.....8 D2
Pride Cl *NEWLW* WA12 ....5 H4
Primrose Cl *WARRN/WOL* WA2 .....18 D2
Princess Av *WARR* WA1 ....19 G5
WARRW/BUR WA5..........................22 B1
Princess Crs *WARR* WA1 ....19 G5
Princess Rd *LYMM* WA13 ....27 H3
Princess St *WARRW/BUR* WA5......23 G3
Princes St *NEWLW* WA12 ....5 E3
Priory St *WARRS* WA4 ....2 D6
The Priory *WARRN/WOL* WA2 ....12 B1
Prospect La *GOL/RIS/CUL* WA3 ....15 H5
Purdy Cl *WARRW/BUR* WA5 ....17 G3
Pyecroft Cl *WARRW/BUR* WA5 .....22 A1
Pyecroft Rd *WARRW/BUR* WA5.....22 A1

Q

Quail Cl *WARRN/WOL* WA2 ....13 E5
Quarry La *WARRS* WA4 ....31 E3
Quay Fold *WARRW/BUR* WA5 ....23 H3
Quayside Ms *LYMM* WA13 ....28 C3
Queastybirch La *WARRS* WA4 ....34 B4
Quebec Rd *WARRN/WOL* WA2 ......19 E4
Queens Av *WARR* WA1 ....19 F4
Queens Crs *WARR* WA1 * 19 H3
Queens Dr *NEWLW* WA12 ....5 F2
WARRS WA4....................................25 G4
Queen St *NEWLW* WA12 ....5 E3

R

Racefield Cl *LYMM* WA13 ....28 C3
Radcliffe Av *GOL/RIS/CUL* WA3 ....8 D2
Raddon Pl *WARRS* WA4.....................3 K6
Radlett Cl *WARRW/BUR* WA5........22 B4
Radley La *WARRN/WOL* WA2 ......
Radnor St *WARRW/BUR* WA5......
Raglan Ct *GOL/RIS/CUL* WA3 ......
Railway St *NEWLW* WA12 ....
Raleigh Cl *WARRW/BUR* WA5......
Ramsay Cl *GOL/RIS/CUL* WA3......
Rangemoor Cl
GOL/RIS/CUL WA3 ....
Ranworth Rd
WARRW/BUR WA5.......................
Rathmell Cl *GOL/RIS/CUL* WA3....
Ravenhurst Ct
GOL/RIS/CUL WA3 ....
Ravensdale Cl
WARRN/WOL WA2 ....
Rawlings Cl *GOL/RIS/CUL* WA3 ...
Raymond Av *WARRS* WA4 ....
Reaper Cl *WARRW/BUR* WA5 ....
Rectory Cl *WARRN/WOL* WA2 .....
Rectory Gdns *LYMM* WA13 ....
Rectory La *LYMM* WA13 ....
WARRN/WOL WA2.......................
Red Bank Av *NEWLW* WA12 ....
Reddish Crs *LYMM* WA13 ....
Reddish La *LYMM* WA13...............
Redesdale Cl
WARRN/WOL WA2........................
Red La *WARRS* WA4 ....
Redmayne Cl *NEWLW* WA12 ....
Redpoll La *GOL/RIS/CUL* WA3 .....
Redshank Cl *NEWLW* WA12 ....
Redshank La
GOL/RIS/CUL WA3 ....
Redvales Ct *GOL/RIS/CUL* WA3 ...
Redwood Cl *WARR* WA1 ....
Reedsmere Cl *WARRS* WA4 ....
Regent Av *WARR* WA1 ....
Regent St *NEWLW* WA12 ....
WARR WA1 ....
Reid Av *WARRW/BUR* WA5...........
Rendel Cl *NEWLW* WA12 ....
Rendlesham Cl
GOL/RIS/CUL WA3 ....
Renown Cl *GOL/RIS/CUL* WA3 .....
Reynolds Av *GOL/RIS/CUL* WA3....
Reynolds St *WARRS* WA4 ....
Rhodes St *WARRN/WOL* WA2.......
Rhona Dr *WARRW/BUR* WA5 ....
Ribble Cl *GOL/RIS/CUL* WA3 ....
Ribchester Gdns
GOL/RIS/CUL WA3 ....
Richardson St
WARRN/WOL WA2 ....
Richmond Av *WARRS* WA4...........
Richmond Cl *GOL/RIS/CUL* WA3
LYMM WA13 ....
Richmond Dr *LYMM* WA13............
Richmond Gdns *NEWLW* WA12 ....
Richmond St *WARRS* WA4 ....
Ridgeborne Cl
WARRW/BUR WA5........................
Ridgeway Gdns *LYMM* WA13........
Ridgway St *WARRN/WOL* WA2 .....
Ridley Dr *WARRW/BUR* WA5 ....
Rilston Av *GOL/RIS/CUL* WA3........
Rimington Cl *GOL/RIS/CUL* WA3 ...
Ringwood Cl
GOL/RIS/CUL WA3 ....
Ripley St *WARRW/BUR* WA5..........
Ripon Cl *NEWLW* WA12 ....
Risley Rd *GOL/RIS/CUL* WA3..........
River Rd *WARRS* WA4 ....
Riversdale *WARR* WA1 ....
Riverside Cl *WARR* WA1 ....
Rivington Ct *WARR* WA1 * ....
Rixton Av *WARRW/BUR* WA5.........
Robert St *WARRW/BUR* WA5 ....
Robins La *GOL/RIS/CUL* WA3 ....
Rob La *NEWLW* WA12 ....
Robson St *WARR* WA1....................
Roby Gv *WARRW/BUR* WA5 ....
Rochester Cl
WARRW/BUR WA5..........................
Rockingham Cl
GOL/RIS/CUL WA3 ....
Rodney St *WARRN/WOL* WA2 ....
Roeburn Wy
WARRW/BUR WA5..........................
Rokeden *NEWLW* WA12 ....
Rolleston St *WARRN/WOL* WA2 ....
Roman Cl *NEWLW* WA12................
Roman Rd *WARRS* WA4 ....
Ronald Dr *WARRN/WOL* WA2 ....
The Rookery *NEWLW* WA12 ....
Rook Rd *WARRS* WA4 ....
Roome St *WARRN/WOL* WA2 ....
Roscoe Av *NEWLW* WA12 ....
WARRN/WOL WA2..........................
Rose Bank *LYMM* WA13 ....
Rosedale Av *WARR* WA1................
Rosemary Av *WARRS* WA4.............
Rosemary Cl
WARRW/BUR WA5 * ....
Rosemary Dr *NEWLW* WA12...........
Rosemoor Gdns *WARRS* WA4 ....
Rosewood Av *WARR* WA1 ....
Rossall Rd *WARRW/BUR* WA5 ....
Ross Cl *WARRW/BUR* WA5 ....
Rossendale Dr
GOL/RIS/CUL WA3 1
Rossett Cl *WARRW/BUR* WA5.........1
Rostherne Cl
WARRW/BUR WA5...........................2
Rothay Dr *WARRW/BUR* WA5 2
Roughlea Av *GOL/RIS/CUL* WA3 ....
Roughley Av
WARRW/BUR WA5...........................2
Round Thorn
GOL/RIS/CUL WA3 2
Rowan Cl *WARRW/BUR* WA5 2
Rowland Cl *WARRN/WOL* WA2........1
Roxborough Cl
WARRW/BUR WA5...........................1
Royston Av *WARR* WA1 1
Rozel Crs *WARRW/BUR* WA5 2

Ct WARRN/WOL WA2 ....19 G2
Ct WARRN/WOL WA2 ....19 G2
nede WARR WA1 ....20 B4
n Cl WARRW/BUR WA5 ....16 A5
Meadow LYMM WA13 ....29 E1
dns LYMM WA13 ....28 D2
een Rd LYMM WA13 ....28 C2
ore Gv WARR WA1 ....19 H4
n Av NEWLW WA12 ....5 E2
Vw NEWLW WA12 ....4 D2
Av NEWLW WA12 ....5 F2
RN/WOL WA2 ....18 D1
Cl WARRW/BUR WA5 * 17 H1
d Av WARRS WA4 ....30 C1
Av WARRW/BUR WA5 ....18 A1
v WARRS WA4 ....24 B4
t NEWLW WA12 ....5 F3
Rd WARR WA1 ....20 B3
s St WARR WA1 ....2 C3

S

Cl WARRN/WOL WA2 ....20 A2
WARRN/WOL WA2 ....20 B1
n Rd WARRW/BUR WA5 ....22 B2
rews Cl
RN/WOL WA2 ....13 H4
es Av WARRS WA4 ....26 A4
es Av East WARRS WA4 ....26 A4
nony Pl
RN/WOL WA2 ....12 C2
ph Dr WARRW/BUR WA5 ....17 G2
ustine's Av WARRS WA4 ....25 G2
tel Cl WARRW/BUR WA5 ....22 B4
tins La WARR WA1 ....2 B4
nabas Pl
RRW/BUR WA5 ....23 H1
edicts Cl
RRN/WOL WA2 ....18 C4
es Cl WARRW/BUR WA5 ....22 B4
get's Cl
RRN/WOL WA2 ....13 G5
ds Dr
RRW/BUR WA5 ....17 H2
ins Cl WARR WA1 ....3 F2
rges Cl WARRS WA4 ....35 F1
n Av WARRS WA4 ....24 C4
n St NEWLW WA12 ....4 D3
eph's Cl
RRW/BUR WA5 ....22 B2
nerines Wy WARR WA1 ....3 G2
garet's Av
RRN/WOL WA2 ....19 E2
y's Cl WARRS WA4 ....30 D3
y's Rd
RRW/BUR WA5 ....22 C2
y's St WARRS WA4 ....3 F6
thews Cl WARRS WA4 ....31 E2
wgan Ct
RRN/WOL WA2 ....19 G2
ica's Cl WARRS WA4 ....31 E2
valds Cl
RRN/WOL WA2 * 12 C2
er's Cl LYMM WA13 ....28 D2
er's Wy WARRN/WOL WA2 ....2 D1
phen Rd
RRW/BUR WA5 ....22 C2
phen's Av
RRN/WOL WA2 ....12 C5
cent Rd
RRW/BUR WA5 ....22 C2
frid's Dr WARRS WA4 ....26 B5
ury St WARR WA1 ....3 G1
Gdns WARRW/BUR WA5 ....17 H5
el St WARRW/BUR WA5 ....23 H3
lwood Cl
RRN/WOL WA2 ....19 E1
rson Cl
RRW/BUR WA5 * 22 A1
urst St WARRS WA4 ....25 G3
croft Cl
/RIS/CUL WA3 ....14 B3
wn Cl GOL/RIS/CUL WA3 * 9 E1
iper Cl NEWLW WA12 ....5 F2
a Dr NEWLW WA12 ....5 G3
ingham Dr
RRW/BUR WA5 ....23 F3
Brow La
/RIS/CUL WA3 ....7 F3
La GOL/RIS/CUL WA3 ....7 H4
MM WA13 ....29 E1
RRN/WOL WA2 ....12 C5
RRS WA4 ....31 E1
RRW/BUR WA5 ....22 D3
La West
RRN/WOL WA2 ....12 B5
y La WARRS WA4 ....34 A4
y Mnr
RRW/BUR WA5 * 22 B1
y St NEWLW WA12 ....4 D3
RR WA1 ....2 B3
y Wy WARRW/BUR WA5 ....23 F2
ersfoot Cl
RRW/BUR WA5 ....17 H2
e Av WARRW/BUR WA5 ....18 A4
y Cl GOL/RIS/CUL WA3 ....9 F3
Cl WARRS WA4 ....30 C4
l Av WARRN/WOL WA2 ....12 D5
re Cl NEWLW WA12 ....4 D3
ars Green La
MM WA13 ....28 C3
l Brow WARR WA1 ....2 E2
l La GOL/RIS/CUL WA3 ....15 H3
l Rd WARRN/WOL WA2 ....18 D2
l St NEWLW WA12 ....5 E3
RRS WA4 ....2 D5
and Rd WARR WA1 ....2 C2
St WARRN/WOL WA2 ....18 D5
ry St WARRS WA4 ....25 H3
rd Pl WARRN/WOL WA2 ....12 B4
nd Cl WARRN/WOL WA2 ....19 F3
r Av WARRS WA4 ....25 E4
Secker Cl WARRS WA4 ....25 E4
Sedgewick Crs
WARRW/BUR WA5 ....10 B3
Sefton St NEWLW WA12 ....4 C3
Selby St WARRW/BUR WA5 ....23 H2
Selkirk Av WARRS WA4 ....25 H3
Selworthy Dr WARRS WA4 ....26 C3
Selwyn Cl NEWLW WA12 ....5 E1
Sephton Av GOL/RIS/CUL WA3 ....8 D2
Sergeant York Loop
WARRW/BUR WA5 ....23 E2
Serin Cl NEWLW WA12 ....5 F3
Severn Cl WARRN/WOL WA2 ....19 F1
Severn Rd GOL/RIS/CUL WA3 ....9 E3
Seymour Dr WARR WA1 ....19 H4
Sgt York Loop
WARRW/BUR WA5 ....23 E1
Shackleton Cl
WARRW/BUR WA5 ....17 G4
Shadewood Crs WARRS WA4 ....26 A4
Shaftesbury Av
WARRW/BUR WA5 ....22 B5
Shaftesbury Wy
WARRW/BUR WA5 ....10 C2
Shakespeare Gv
WARRN/WOL WA2 ....18 D1
Sharon Park Cl WARRS WA4 ....26 B5
Sharp St WARRN/WOL WA2 ....18 C4
Shawbury Gv WARR WA1 ....19 H3
Shaw's Av WARRN/WOL WA2 ....18 C3
Shaw St GOL/RIS/CUL WA3 ....9 F2
Sheerwater Cl WARR WA1 ....19 G4
Sheffield Cl WARRW/BUR WA5 ....23 F2
Shelley Gv WARRS WA4 ....25 G2
Shepcroft La WARRS WA4 ....34 D2
Shepperton Cl WARRS WA4 ....31 E3
Sherbourne Wy
WARRW/BUR WA5 ....10 C3
Sheridan Pl WARRN/WOL WA2 ....12 B3
Sheri Dr NEWLW WA12 ....5 G4
Sheringham Rd
WARRW/BUR WA5 ....22 B1
Sherwood Crs
WARRW/BUR WA5 ....10 B3
Shetland Cl WARRN/WOL WA2 ....13 F4
Shiggins Cl WARRW/BUR WA5 ....23 G1
Shillingford Cl WARRS WA4 ....31 F4
Shipton Cl WARRW/BUR WA5 ....17 E4
Shirley Dr WARRS WA4 ....25 H4
Shoreham Dr
WARRW/BUR WA5 ....22 D4
Short Cl NEWLW WA12 ....4 B3
Short St NEWLW WA12 ....4 B3
Shrewsbury St WARRS WA4 ....3 G6
Shropshire Cl WARR WA1 ....20 D5
Siddeley Dr NEWLW WA12 ....4 C3
Sidmouth Cl WARRW/BUR WA5 ....22 B3
Silverdale Rd NEWLW WA12 ....5 E2
WARRS WA4 ....24 C4
Silver La GOL/RIS/CUL WA3 ....15 F1
Silver St WARRN/WOL WA2 ....18 C5
Simkin Av WARRS WA4 ....25 G2
Sinclair Av WARRN/WOL WA2 ....18 C1
Siskin Cl NEWLW WA12 ....5 F3
Slater St WARRS WA4 ....3 F5
Slutchers La WARR WA1 ....2 A7
Small Av WARRN/WOL WA2 ....18 D1
Small Crs WARRN/WOL WA2 ....18 D1
Smith Crs WARRN/WOL WA2 ....19 E3
Smith Dr WARRN/WOL WA2 ....19 E3
Smithills Cl GOL/RIS/CUL WA3 ....14 C3
Smith St WARR WA1 ....2 D3
Smithy Brow
GOL/RIS/CUL WA3 ....13 G1
Smithy La GOL/RIS/CUL WA3 ....13 H1
Snaefell Ri WARRS WA4 ....30 D2
Snowdon Cl WARRW/BUR WA5 ....22 B1
Solway Cl WARRN/WOL WA2 ....13 G4
Somerset Wy WARR WA1 ....20 A3
Sorrel Cl WARRN/WOL WA2 ....20 B1
South Av WARRN/WOL WA2 ....18 C3
WARRS WA4 ....24 D5
South Dl WARRW/BUR WA5 ....22 C2
Southdale Rd WARR WA1 ....19 H4
Southern St WARRS WA4 ....24 D5
Southfields Av
WARRW/BUR WA5 ....22 C1
Southlands Av
WARRW/BUR WA5 ....22 C4
Southway Av WARRS WA4 ....31 E2
Southworth Av
WARRW/BUR WA5 ....18 A3
Southworth La
WARRN/WOL WA2 ....13 E1
Southworth Rd NEWLW WA12 ....6 A1
Sovereign Ct
GOL/RIS/CUL WA3 ....14 B4
Spark Hall Cl WARRS WA4 ....35 F2
Speakman Av NEWLW WA12 ....5 E1
Spinney Gdns WARRS WA4 ....32 A5
Spires Gdns WARRN/WOL WA2 ....12 B1
Springbank Gdns LYMM WA13 ....29 E1
Springfield Av LYMM WA13 ....29 E1
WARR WA1 ....19 G3
WARRS WA4 ....26 A3
Springfield St WARR WA1 ....2 B3
Springholm Dr WARRS WA4 ....35 E1
Spring La GOL/RIS/CUL WA3 ....14 A2
LYMM WA13 ....29 H3
Spruce Cl WARR WA1 ....20 D4
Spurling Rd WARRW/BUR WA5 ....10 C3
Stafford Rd WARRS WA4 ....24 D4
Stage La LYMM WA13 ....29 F2
Stainer Cl NEWLW WA12 ....5 E1
Staines Cl WARRS WA4 ....31 F4
Stainforth Cl GOL/RIS/CUL WA3 ....8 C1
Stainmore Cl
GOL/RIS/CUL WA3 ....15 G2
Stamford Ct LYMM WA13 ....28 B3
Stanley Av WARRS WA4 ....25 G4
WARRW/BUR WA5 ....16 A5
Stanley Pl WARRS WA4 * 25 G4
Stanley St NEWLW WA12 * 4 D3
WARR WA1 ....2 C4
Stanner Cl WARRW/BUR WA5 ....17 G2
Stansfield Av WARR WA1 ....19 G5
Stansfield Dr WARRS WA4 ....31 H2
Stanstead Av
WARRW/BUR WA5 ....22 C4
Stanton Rd WARRS WA4 ....26 C3
Stapleton Av
WARRN/WOL WA2 ....19 E3
Starkey Gv WARRS WA4 * 25 G2
Star La LYMM WA13 ....27 H2
Statham Av LYMM WA13 ....27 H3
WARRN/WOL WA2 ....18 D1
Statham Cl LYMM WA13 ....28 A3
Statham Dr LYMM WA13 ....28 A3
Statham La LYMM WA13 ....27 G1
Station Rd WARRS WA4 ....25 F4
WARRW/BUR WA5 ....22 A4
Station Rd North
WARRN/WOL WA2 ....19 H1
Station Rd South
WARRN/WOL WA2 ....19 H2
Station Yd WARRN/WOL WA2 * 19 H3
Steel St WARR WA1 ....19 F4
Stephenson Rd NEWLW WA12 ....5 F4
Stephen St WARR WA1 ....19 E5
Stetchworth Rd WARRS WA4 ....24 C5
Stirling Cl WARR WA1 ....20 D4
Stirrup Cl WARRN/WOL WA2 ....13 H5
Stockdale Dr
WARRW/BUR WA5 ....16 B4
Stockley La WARRS WA4 ....35 G5
Stockport Rd WARRS WA4 ....26 C3
Stocks La WARRW/BUR WA5 ....22 A2
Stockton La WARRS WA4 ....25 F5
Stokes St GOL/RIS/CUL WA3 ....14 D3
Stoneacre Gdns WARRS WA4 ....31 F5
Stonecrop Cl
GOL/RIS/CUL WA3 ....14 B4
Stonehaven Dr
WARRN/WOL WA2 ....13 H5
Stonehill Cl WARRS WA4 ....31 E5
Stoneleigh Gdns WARRS WA4 ....26 C5
Stone Pit La GOL/RIS/CUL WA3 ....7 G3
Stratton Rd WARRW/BUR WA5 ....23 E2
Strawberry Cl
GOL/RIS/CUL WA3 ....14 B4
Stretton Rd WARRS WA4 ....35 G2
Strickland Cl WARRS WA4 ....31 H2
Stringer Crs WARRS WA4 ....3 K4
Stromness Cl
WARRN/WOL WA2 ....14 A5
Stuart Dr WARRS WA4 ....25 G4
Sturgess St NEWLW WA12 ....4 C3
Suez St NEWLW WA12 ....4 D3
WARR WA1 ....2 B3
Suffolk Cl WARR WA1 ....20 C5
Sulby Av WARRS WA4 ....2 C7
Summerfield Av
WARRW/BUR WA5 ....18 A1
Summer La WARRS WA4 ....34 B4
Summerville Gdns
WARRS WA4 ....25 G5
Summit Cl WARRS WA4 ....35 F3
Sunbeam St NEWLW WA12 ....5 F3
Sunbury Gdns WARRS WA4 ....31 F2
Suncroft Cl WARR WA1 ....20 D4
Sunningdale Cl
WARRW/BUR WA5 ....10 C3
Sunnybank Cl NEWLW WA12 ....5 F2
Sunnyside WARRW/BUR WA5 ....22 B1
Surrey St WARRS WA4 ....3 G6
Susan Dr WARRW/BUR WA5 ....22 A2
Sutton Av GOL/RIS/CUL WA3 ....8 D1
Sutton St WARR WA1 ....2 E4
Swaledale Cl
WARRW/BUR WA5 ....16 C5
Swallow Cl GOL/RIS/CUL WA3 * 15 E4
Swallowfield Gdns
WARRS WA4 ....31 G4
Swanage Cl WARRS WA4 ....25 F4
Swan Rd NEWLW WA12 ....4 B2
Swift Cl WARRN/WOL WA2 ....13 F5
Swindale Av WARRN/WOL WA2 ....12 C5
Swineyard La NWCHE CW9 ....33 F5
Sycamore Av NEWLW WA12 ....5 F3
Sycamore Dr LYMM WA13 ....28 A2
Sycamore La
WARRW/BUR WA5 ....23 E2
Syers Ct WARR WA1 ....19 F3
Sylvia Crs WARRN/WOL WA2 ....19 E2
Synge St WARRN/WOL WA2 ....18 D4

T

Talbot Cl GOL/RIS/CUL WA3 ....14 D5
Tan House La
WARRW/BUR WA5 ....10 D5
Tankersley Gv
WARRW/BUR WA5 ....22 D2
Tanners La WARRN/WOL WA2 ....2 B1
Tanning Ct WARR WA1 ....2 D3
Taplow Cl WARRS WA4 ....31 F3
Tarn Ct WARR WA1 ....21 E4
Tarporley Rd WARRS WA4 ....35 E4
Tasman Cl WARRW/BUR WA5 ....17 F4
Tatton Ct WARR WA1 * 20 C3
Taurus Pk WARRW/BUR WA5 ....11 G5
Tavistock Rd
WARRW/BUR WA5 ....22 B3
Tavlin Av WARRW/BUR WA5 ....18 A2
Tayleur Ter NEWLW WA12 ....5 G4
Taylor St WARRS WA4 ....24 B5
Teal Cl WARRN/WOL WA2 ....13 F5
Teal Gv GOL/RIS/CUL WA3 ....15 E5
Teddington Cl WARRS WA4 ....31 F4
Temple Ct GOL/RIS/CUL WA3 ....14 D2
Tenbury Cl WARRW/BUR WA5 ....16 D3
Tenby Cl WARRW/BUR WA5 ....18 A1
Tennyson Dr
WARRN/WOL WA2 ....18 D1
Tensing Cl WARRW/BUR WA5 ....17 E4
Terence Av WARR WA1 ....19 G4
Thames Rd GOL/RIS/CUL WA3 ....9 E3
Thelwall La WARRS WA4 ....25 H3
Thelwall New Rd WARRS WA4 ....26 A3
Thelwall Viad WARRS WA4 ....27 F1
Thetford Rd WARRW/BUR WA5 ....22 B1
Thewlis St WARRW/BUR WA5 ....23 H2
Thirlmere Av
WARRN/WOL WA2 ....12 D5
Thirlmere Dr LYMM WA13 ....28 C3
Thompson Av
GOL/RIS/CUL WA3 ....8 D2
Thompson St
GOL/RIS/CUL WA3 ....14 D3
Thoriby Rd GOL/RIS/CUL WA3 ....9 E2
Thorn Cl WARRW/BUR WA5 ....22 C4
Thornley Rd LYMM WA13 ....27 H3
Thorn Rd WARR WA1 ....19 H3
Thorntondale Dr
WARRW/BUR WA5 ....16 C5
Thornton Rd
WARRW/BUR WA5 ....23 E3
Thorntree Gn WARRS WA4 ....32 A4
Thurston Cl WARRW/BUR WA5 ....23 G1
Thynne St WARR WA1 ....2 A4
Tidal La WARRN/WOL WA2 ....19 G3
Tilley St WARR WA1 ....2 E1
Tilman Cl WARRW/BUR WA5 ....17 E4
Tilston Av WARRS WA4 ....25 H2
Timberscombe Gdns
WARR WA1 ....20 D5
Timmis Cl WARRN/WOL WA2 ....13 H5
Timperley Av WARRS WA4 ....25 H2
Tinsley St WARRS WA4 ....25 G3
Tintern Cl WARRW/BUR WA5 * 17 H2
Tiverton Sq WARRW/BUR WA5 ....22 B3
Toll Bar Rd WARRN/WOL WA2 ....12 B5
Tomlinson Av
WARRN/WOL WA2 ....19 E3
Topping Ct GOL/RIS/CUL WA3 ....14 A4
Tourney Gn WARRW/BUR WA5 ....16 D2
Tower La LYMM WA13 ....28 C4
Townfield La
WARRN/WOL WA2 ....12 B3
Townfield Rd
WARRN/WOL WA2 * 12 B3
Town Hl WARR WA1 ....2 C2
Tracy Dr NEWLW WA12 ....5 H3
Trafford Av WARRW/BUR WA5 ....17 H4
Tragan Dr WARRW/BUR WA5 ....22 A4
Treetops Cl WARR WA1 ....19 G4
Trefoil Cl GOL/RIS/CUL WA3 ....14 B3
Tresham Dr WARRS WA4 ....31 H1
Trinity Ct GOL/RIS/CUL WA3 ....15 E3
Trossach Cl WARRN/WOL WA2 ....19 F1
Troutbeck Av NEWLW WA12 ....4 B2
WARRW/BUR WA5 ....18 A4
Truro Cl WARR WA1 ....20 A3
Tudor Cl WARRS WA4 ....25 H4
Tudor Ct WARRS WA4 * 25 F5
Tully Av NEWLW WA12 ....4 B3
Tunbridge Cl
WARRW/BUR WA5 ....16 D4
Turnberry Cl LYMM WA13 ....27 H2
Turnstone Av NEWLW WA12 ....5 F2
Turton Cl GOL/RIS/CUL WA3 ....14 B3
Tutor Bank NEWLW WA12 ....5 G3
Tweedsmuir Cl
WARRN/WOL WA2 ....13 H4
Twenty Acre Rd
WARRW/BUR WA5 ....17 F4
Twiss Green Dr
GOL/RIS/CUL WA3 ....8 D1
Twiss Green La
GOL/RIS/CUL WA3 ....8 C1
Tyne Cl WARRN/WOL WA2 ....19 F1
Tynwald Dr WARRS WA4 ....30 D2
Tyrer Rd NEWLW WA12 ....5 F5

U

Ullswater Av
WARRN/WOL WA2 ....12 D5
Ulverston Av
WARRN/WOL WA2 ....12 C5
Unsworth Ct
WARRN/WOL WA2 * 19 G2
Upton Dr WARRW/BUR WA5 ....22 C2
Urmston Av NEWLW WA12 ....5 E1

V

Vale Av WARRN/WOL WA2 ....18 C3
Valentine Rd NEWLW WA12 ....4 C3
Vale Owen Rd
WARRN/WOL WA2 ....19 E2
Valiant Cl WARRN/WOL WA2 ....19 G1
Valley Ct WARRN/WOL WA2 ....19 G2
Valley Vw NEWLW WA12 ....5 E5
Vanguard Ct
GOL/RIS/CUL WA3 ....14 C4
Vaudrey Dr WARR WA1 ....20 C4
Vauxhall Cl WARRW/BUR WA5 ....22 C3
Venns Rd WARRN/WOL WA2 ....19 E4
Ventnor Cl WARRW/BUR WA5 ....16 A5
Vermont Cl WARRW/BUR WA5 ....17 F5
Vernon St WARR WA1 ....2 D4
Viaduct St NEWLW WA12 ....4 D3
Victoria Av WARRS WA4 ....25 H4
WARRW/BUR WA5 ....22 A1
Victoria Pl WARRS WA4 ....24 D5
Victoria Rd NEWLW WA12 ....5 F2
WARRS WA4 ....25 E5
WARRW/BUR WA5 ....22 A3
Victoria St WARR WA1 ....2 E2
Villagate La WARRS WA4 ....32 B4
Village Cl WARRS WA4 ....26 D2
Villars St WARR WA1 ....3 F3
Vincent Cl WARRW/BUR WA5 ....17 E4
Vine Crs WARRW/BUR WA5 ....22 B1
Violet Cl GOL/RIS/CUL WA3 ....14 B4
Virginia Gdns
WARRW/BUR WA5 ....17 E4
Viscount Rd
WARRN/WOL WA2 ....19 F1
Vista Av NEWLW WA12 ....4 D2
Vista Rd NEWLW WA12 ....4 D2
Vista Wy NEWLW WA12 ....4 D2
Vose Cl WARRW/BUR WA5 ....23 G1
Vulcan Cl NEWLW WA12 ....5 F5
WARRN/WOL WA2 ....19 G1

W

Waddington Cl
WARRN/WOL WA2 ....19 G2
Wadeson Wy GOL/RIS/CUL WA3 ....14 A1
Walden Cl WARRS WA4 ....26 C3
Walkers La WARRW/BUR WA5 ....22 B4
Walker St WARRN/WOL WA2 ....2 A1
Wallis St WARRS WA4 ....2 C7
Walmsley St NEWLW WA12 ....5 G2
Walnut Cl WARR WA1 ....20 D4
Walpole Gv WARRN/WOL WA2 ....18 D1
Walsh Cl NEWLW WA12 ....5 F1
Walsingham Rd
WARRW/BUR WA5 ....22 C2
Walter St WARR WA1 ....19 F4
Walton Av WARRW/BUR WA5 ....22 B2
Walton Heath Rd WARRS WA4 ....24 C5
Walton Lea Rd WARRS WA4 ....30 B2
Walton New Rd WARRS WA4 ....30 C1
Walton Rd GOL/RIS/CUL WA3 ....9 E2
GOL/RIS/CUL WA3 ....14 D3
WARRS WA4 ....30 D1
Wansfell Pl WARRN/WOL WA2 ....12 B5
Warburton Cl LYMM WA13 ....28 D2
Warburton St WARRS WA4 ....25 E5
Ward Cl WARRW/BUR WA5 ....17 E3
Wardour St WARRW/BUR WA5 ....23 H1
Wareham Cl WARR WA1 ....20 B3
Wargrave Ms NEWLW WA12 ....5 F5
Wargrave Rd NEWLW WA12 ....5 F3
Waring Av WARRS WA4 ....25 G1
Warren Dr NEWLW WA12 ....6 A1
WARRS WA4 ....30 D1
Warren La WARR WA1 ....20 C3
Warren Rd WARRN/WOL WA2 ....19 E2
WARRS WA4 ....30 D2
Warrington La LYMM WA13 ....29 G3
Warrington Rd
GOL/RIS/CUL WA3 ....6 C2
GOL/RIS/CUL WA3 ....9 F2
GOL/RIS/CUL WA3 ....14 B5
GOL/RIS/CUL WA3 ....14 D1
LYMM WA13 ....27 G2
WARRS WA4 ....30 A3
WARRW/BUR WA5 ....22 B3
Warton Cl WARRW/BUR WA5 ....22 D4
Warwick Av NEWLW WA12 ....5 G4
WARRW/BUR WA5 ....16 A5
WARRW/BUR WA5 ....18 A4
Washington Dr
WARRW/BUR WA5 ....17 F5
Wash La WARRS WA4 ....3 J7
Wasley Cl WARRN/WOL WA2 ....13 G5
Waterbridge Ct WARRS WA4 ....31 E1
Waterside WARRS WA4 ....31 E1
Water St NEWLW WA12 ....5 F2
Waterways WARRW/BUR WA5 ....23 G1
Waterworks Dr NEWLW WA12 ....6 A1
Waterworks La
WARRN/WOL WA2 ....12 C1
Watery La WARRN/WOL WA2 ....11 H3
Watkins Av NEWLW WA12 ....4 C3
Watkin St WARRN/WOL WA2 ....18 C4
Watton Cl WARRS WA4 ....26 B3
Waverley Av WARRS WA4 ....31 E1
Wayfarers Dr NEWLW WA12 ....5 H4
Wayside Cl LYMM WA13 ....28 A4
Waywell Cl WARRN/WOL WA2 ....13 G5
Weaste La WARRS WA4 ....26 C4
Weaver Rd GOL/RIS/CUL WA3 ....9 F3
Webb Dr WARRW/BUR WA5 ....10 C3
Weddell Cl WARRW/BUR WA5 ....17 G5
Wednesbury Dr
WARRW/BUR WA5 ....22 C1
Weedon Av NEWLW WA12 ....5 E1
Weir La WARR WA1 ....20 D5
Weir St WARRS WA4 ....24 B5
Welbeck Av NEWLW WA12 ....5 G4
Wellesley Cl NEWLW WA12 ....5 E1
Well Farm Cl WARR WA1 ....20 C3
Wellfield Rd GOL/RIS/CUL WA3 ....8 D1
Wellfield St WARRW/BUR WA5 ....23 H2
Wellington Cl
WARRN/WOL WA2 ....19 G1
Wellington St NEWLW WA12 ....4 D3
WARR WA1 ....2 E3
Well La WARRS WA4 ....35 F4
WARRW/BUR WA5 ....22 B4
Wells Cl WARR WA1 ....20 A3
Welsby Cl WARRN/WOL WA2 ....13 G5
Welshpool Cl
WARRW/BUR WA5 ....17 G1
Welwyn Cl WARRS WA4 ....26 B3
Wenlock Cl WARR WA1 ....19 H3
Wensleydale Cl
WARRW/BUR WA5 ....16 C4
Wentworth Av WARR WA1 ....20 A4
Wessex Cl WARR WA1 ....20 C4
West Av WARRN/WOL WA2 ....18 C3
WARRS WA4 ....24 D5
Westbourne Rd WARRS WA4 ....30 C2
Westbrook Av WARRS WA4 ....25 E4
Westbrook Centre
WARRW/BUR WA5 ....17 F3
Westbrook Crs
WARRW/BUR WA5 ....17 F3
Westbrook Wy
WARRW/BUR WA5 ....16 D3
Westbury Cl WARR WA1 ....19 H3
Westcliffe Gdns WARRS WA4 ....35 F1

Westdale Rd WARR WA1 ....19 H4
West Dr WARRW/BUR WA5 .....23 E3
Westford Rd WARRS WA4 ......24 B5
Westhay Crs
 GOL/RIS/CUL WA3 ....15 F5
West Heath Gv LYMM WA13 ...27 H2
West Hyde LYMM WA13 ....27 H5
Westminster CI WARRS WA4 ...26 B4
Westminster Dr WA2 ....2 C2
Westover Rd WARR WA1 ....19 G4
West Quay Rd
 WARRN/WOL WA2 ....12 A5
West St WARRS/WOL WA1 .....18 C4
West Vw WARRN/WOL WA2 ....19 H2
Westy La WARRS 3 K5
Wet Gate La LYMM WA13 ......29 G2
Wetherby CI NEWLW WA12 ......5 F1
Weybridge CI WARRS WA4 .....31 F2
Weymouth Rd
 WARRW/BUR WA5 ....10 C3
Whaley St WARR WA1 ....19 F3
Wharfdale CI
 WARRW/BUR WA5 ....16 D5
Wharf Rd NEWLW WA12 ....4 B4
Wharfside Ct WARRS WA4 .....31 F1
Wharf St WARR WA1 ....3 G4
Wheat Cft WARRW/BUR WA5 * ..23 F1
Wheatley Av NEWLW WA12 ......5 F1
Whimbrel Av NEWLW WA12 ......5 F3
Whinchat Av NEWLW WA12 ......5 F2
Whinchat Dr
 WARRW/BUR WA5 ....15 E5
Whitbarrow Rd LYMM WA13 ....27 H2
Whitby Av WARRN/WOL WA2 ...19 E1
Whitchurch CI WARR WA1 ......19 H3
White Broom LYMM WA13 ......27 H4
Whitecross Rd
 WARRW/BUR WA5 ....23 H2
Whitefield LYMM WA13 * 28 D2
Whitefield CI LYMM WA13 .....28 D2
Whitefield Gv WARRS WA13 ....28 D2
Whitefield Rd WARRS WA4 .....30 C1

Whitegate Av
 GOL/RIS/CUL WA3 ....9 E3
White House Dr WARR WA1 ....20 D4
Whiteleggs La LYMM WA13 ....28 D5
Whitesands Rd LYMM WA13 ...27 H1
White St WARR WA1 ....2 A3
 WARRS WA4 ....24 D5
Whitethorn Av
 WARRW/BUR WA5 ....22 C2
Whitfield Av WARR WA1 ....19 G4
Whitley Av WARRS WA4 ....25 H2
Whittaker Av
 WARRN/WOL WA2 ....19 E1
Whittle Av WARRW/BUR WA5 ...22 D2
Whittle Hall La
 WARRW/BUR WA5 ....22 C2
Whittlewood CI
 WARRS WA4 ....15 F3
Whitwell CI WARRW/BUR WA5 ..16 A5
Whitworth CI
 GOL/RIS/CUL WA3 ....14 D5
Widdale CI WARRW/BUR WA5 ...5 F2
Wightman Av NEWLW WA12 .....5 F1
Wigmore Ct WARRW/BUR WA5 ..15 F2
Wigshaw La GOL/RIS/CUL WA3 ..8 D2
Wilderspool Cswy WARRS WA4 ..2 C5
Wilderspool Crs WARRS WA4 ..24 C5
Wildings Old La
 ....7 H5
Wildwood Gv WARR WA1 ......20 A4
Wilkinson Av WARR WA1 ....19 G5
Wilkinson St WARRN/WOL WA2 ..18 D4
William Penn CI
 WARRW/BUR WA5 * 22 B3
Williams Av NEWLW WA12 ......5 F1
Willis St WARR WA1 ....19 E5
Willoughby CI
 WARRW/BUR WA5 ....17 F3
Willow Av NEWLW WA12 ....5 G2
Willow Bank Est NEWLW WA12 ..6 A2
Willow CI LYMM WA15 ....28 B2
Willow Crs WARR WA1 ....20 A3

Willowdale NEWLW WA12 ....5 H3
Willow Dr WARRS WA4 ....25 E5
Willow La WARRS WA4 ....31 E5
Willow Rd NEWLW WA12 ....5 H2
The Willows WARRW/BUR WA5 ..22 C2
Wilmot Av WARRW/BUR WA5 ...22 C1
Wilmslow Crs WARRS WA4 .....26 C3
Wilson La WARRS WA4 ....26 C5
Wilson La GOL/RIS/CUL WA3 ...8 C3
Wilson Patten St WARR WA1 ....2 A4
Wilson St WARRW/BUR WA5 ...18 B4
Wiltshire CI WARR WA1 ....20 C5
Winchester Av
 WARRW/BUR WA5 ....23 F2
Windermere Av
 WARRN/WOL WA2 ....12 D5
Windle CI GOL/RIS/CUL WA3 * ..14 B4
Windmill CI WARRS WA4 ....30 D3
Windmill La WARRS WA4 ......30 D5
Windmill Rd WARRS WA4 ......22 B2
Windscale Rd
 WARRN/WOL WA2 ....19 H1
Windsor Av NEWLW WA12 ....5 G4
Windsor Ct WARRS WA4 * 25 F5
Windsor Dr WARRS WA4 ....26 A3
Windsor St WARRN/WOL WA2 ..23 H1
Winfrith Rd WARRN/WOL WA2 ..19 H2
Winifred St WARRN/WOL WA2 ..18 D4
Winmarleigh St WARR WA1 .....2 A3
Winsford Dr
 WARRW/BUR WA5 ....10 B2
Winstanley CI
 WARRW/BUR WA5 ....19 F3
Winston Av NEWLW WA12 ......5 E5
Winwick La GOL/RIS/CUL WA3 ..7 E5
Winwick Link Rd
 WARRN/WOL WA2 ....12 C2
Winwick Park Av
 WARRN/WOL WA2 ....12 B3
Winwick Rd NEWLW WA12 ......5 H4
 WARRN/WOL WA2 ....18 B1
Winwick St WARR WA1 ....2 C2

Winwick Vw WARRW/BUR WA5 ..4 A5
Wirral CI GOL/RIS/CUL WA3 .....8 D2
Withers Av WARRN/WOL WA2 ..19 E3
Wither's La KNUT WA16 ....33 H4
Witherwin Av WARRS WA4 .....31 H2
Withington Av
 GOL/RIS/CUL WA3 ....9 F1
Withins Rd GOL/RIS/CUL WA3 ..9 E2
Withycombe Rd
 WARRW/BUR WA5 ....22 B3
Witney Gdns WARRS WA4 .....31 G3
Woburn Av NEWLW WA12 ....5 G4
Woburn Rd WARRN/WOL WA2 ..12 B4
Wolfe CI WARR WA1 ....19 H3
Woodale CI WARRW/BUR WA5 ..16 B5
Woodbank Rd
 WARRW/BUR WA5 ....22 D2
Woodbine Rd LYMM WA13 .....29 E2
Woodbridge CI WARRS WA4 ...15 F3
Woodcote CI
 WARRN/WOL WA2 ....19 E2
Woodford Ct WARRS WA4 .....26 B5
Woodhall CI WARRW/BUR WA5 ..16 D4
Woodhouse CI
 GOL/RIS/CUL WA3 ....15 E5
Woodland Av LYMM WA13 .....28 D2
 ....6 A2
Woodland Dr LYMM WA13 .....28 C4
Woodlands Dr WARRS WA4 ...26 C3
Wood La WARRS WA4 ....31 F1
Woodley Fold
 WARRW/BUR WA5 ....22 C3
Woodpecker CI
 GOL/RIS/CUL WA3 ....15 E5
Woodside La LYMM WA15 .....29 E5
Woodside Rd
 WARRW/BUR WA5 ....22 C1
Woodstock Av NEWLW WA12 ...5 G4
Woodstock Gdns WARRS WA4 .31 G3
Wood St WARR WA1 ....3 H1
Woodvale CI
 WARRN/WOL WA2 ....19 F3

Woolacombe CI WARRS WA4 ....
Woolmer CI GOL/RIS/CUL WA3 ..
Woolston Grange Av
 WARRN/WOL WA2 ....
Worcester CI
 WARRW/BUR WA5 ....
Wordsworth Av WARRS WA4 ....
Worsborough Av
 WARRW/BUR WA5 ....
Worsley Av WARRS WA4 ....
Worsley Rd WARRS WA4 ....
Worsley St WARRW/BUR WA5 ...
Wren CI GOL/RIS/CUL WA3 .....
Wrexham CI WARRW/BUR WA5 ..
Wrights Gn WARRS WA4 * .....
Wright's La WARRW/BUR WA5 ..
Wroxham Rd
 WARRW/BUR WA5 ....
Wychwood Av LYMM WA13 .....

Y

Yardley Av WARRW/BUR WA5 ....
Yarmouth Rd
 WARRW/BUR WA5 ....
Yates CI WARRW/BUR WA5 .....
Yeald Brow LYMM WA13 ....
Yeovil CI WARR WA1 ....
Yew Tree Av NEWLW WA12 .....
Yew Tree CI WARRS WA4 ....
Yew Tree Ct
 GOL/RIS/CUL WA3 * ....
Yew Tree La WARRS WA4 ......
York Av GOL/RIS/CUL WA3 .....
York Ct WARRS WA4 * ....
York Dr WARRS WA4 ....
York Rd WARRS WA4 ....
York St WARRS WA4 ....

Index - featured places

Alban Retail Park WARRN/WOL WA2 ...18 B1
Alder Root Golf Club WARRW/BUR WA5 ...11 G2
Appleton Thorn Primary School WARRS WA4 ...32 B5
Appleton Thorn Trading Estate WARRS WA4 ...32 C4
Bank Quay Trading Estate WARRS WA4 ...24 A2
Barleycastle Trading Estate WARRS WA4 ...32 B5
Barrow Hall Community Primary School WARRW/BUR WA5 ...16 A5
Beamont Primary School WARRN/WOL WA2 ...18 D4
Bewsey Business Centre WARRW/BUR WA5 ...18 A4
Bewsey Industrial Estate WARRN/WOL WA2 ...18 B4
Bewsey Lodge Primary School WARRW/BUR WA5 ...17 H5
Birchwood CE Primary School GOL/RIS/CUL WA3 ...15 E4
Birchwood Community High School GOL/RIS/CUL WA3 ...14 C5
Birchwood Golf Club GOL/RIS/CUL WA3 ...14 C2
Birchwood Medical Centre GOL/RIS/CUL WA3 ...14 D5
Birchwood One Business Park GOL/RIS/CUL WA3 ...14 D5
Bold Street Medical Centre WARR WA1 ...2 B4
Borron Road Industrial Estate NEWLW WA12 ...5 F2
Bradshaw Primary School WARRS WA4 ...26 A4
Bridgewater High School WARRS WA4 ...31 E2
Bridgewater Upper School WARRS WA4 ...31 E2
Brook Acre Primary School WARRN/WOL WA2 ...19 F2
Broomfield County Junior School WARRN/WOL WA2 ...31 F2
Bruche Community Primary School WARR WA1 ...19 H4
Burtonwood Industrial Centre WARRW/BUR WA5 ...10 C2
Burtonwood Primary School WARRW/BUR WA5 ...10 B2
Cardinal Newman RC High School WARRS WA4 ...25 G1
Causeway Medical Centre WARRS WA4 ...2 D7
Chaigley School WARRS WA4 ...26 D2
Cherry Tree Community School LYMM WA13 ...27 H4
Church Street Industrial Estate WARR WA1 ...2 E3
Cinnamon Brow CE Primary School WARRN/WOL WA2 ...13 G5
The Cobbs Infant School WARRS WA4 ...31 F1
Cockhedge Centre WARR WA1 ...2 D2
Cornerstones School WARRS WA4 ...25 G4
Croft CP School GOL/RIS/CUL WA3 ...8 A5
Cromdale Way Community Hall & Health Centre WARRW/BUR WA5 ...22 B1

Cross Clinic LYMM WA13 ...28 B3
Culcheth Clinic GOL/RIS/CUL WA3 ...8 D2
Culcheth Primary & High School GOL/RIS/CUL WA3 ...9 F2
Culcheth Sports Club GOL/RIS/CUL WA3 ...9 E2
Dallam Community Primary School WARRW/BUR WA5 ...18 A2
Deacon Trading Estate NEWLW WA12 ...4 D4
The District CE Primary School WARRS WA4 ...24 D5
Eagle Sports Club WARRW/BUR WA5 ...22 D3
Eric Moore Health Centre WARRN/WOL WA2 ...2 B1
Evelyn Street Primary School WARRS WA4 ...23 H5
Fearnhead Cross Medical Centre WARRN/WOL WA2 ...19 G1
Fir Grove Hotel WARRS WA4 ...25 H3
Fleming Industrial Estate WARR WA1 ...2 E2
Fordton Leisure Centre WARRN/WOL WA2 ...12 B5
The Forge Shopping Centre WARRS WA4 ...24 D5
Fox Wood School GOL/RIS/CUL WA3 ...14 D5
Garven Place Clinic WARR WA1 ...2 A3
Gateworth Industrial Estate WARRS WA4 ...23 G4
Gemini Business Park WARRW/BUR WA5 ...17 H1
Golden Square Shopping Centre WARR WA1 ...2 B3
Gorse Covert Primary School GOL/RIS/CUL WA3 ...15 G2
Grange Valley Primary School RNFD/HAY WA11 ...4 A1
Grappenhall CC WARRS WA4 ...25 H5
Grappenhall Clinic WARRS WA4 ...26 A4
Grappenhall Hall School WARRS WA4 ...26 A5
Grappenhall Heys Primary School WARRS WA4 ...31 H2
Grappenhall Sports Club WARRS WA4 ...25 G5
Great Sankey Lingley County Infant School WARRW/BUR WA5 ...16 A4
Great Sankey Primary School WARRW/BUR WA5 ...22 D2
Green Lane Special School WARRS WA4 ...20 A3
Guardian Medical Centre WARRS WA4 ...18 A5
Guardian Street Industrial Estate WARRW/BUR WA5 ...18 A5
Gulliver's World Theme Park WARRW/BUR WA5 ...17 H3
Hanover International Hotel WARRS WA4 ...35 F2
Hawthorne Business Park WARRW/BUR WA5 ...18 A3
HM Remand Centre WARRS WA4 ...8 D5
HM Young Offenders Institute WARRS WA4 ...32 B5

Holcroft Clinic GOL/RIS/CUL WA3 ...8 D2
Holiday Inn WARR WA1 ...21 E4
Hood Manor Medical Centre WARRW/BUR WA5 ...23 F2
Howley Quay Industrial Estate WARR WA1 ...3 G2
IKEA Store Warrington WARRW/BUR WA5 ...17 F1
International Business Centre WARRW/BUR WA5 ...18 A3
Kerfoot Business Park WARRN/WOL WA2 ...18 B3
Kirkfield Hotel NEWLW WA12 ...4 D5
Latchford CE Primary School WARRS WA4 ...25 E4
Leigh Golf Club WARRS WA4 ...8 C1
Lingley Mere Business Park WARRW/BUR WA5 ...16 B4
Locking Stumps Primary School GOL/RIS/CUL WA3 ...14 B3
Longbarn CP School WARRN/WOL WA2 ...20 A2
Long Lane CP School WARRN/WOL WA2 ...18 C2
Loushers Lane Special School WARRS WA4 ...25 E4
Lyme Community Primary School NEWLW WA12 ...4 C2
Lymm Golf Club LYMM WA13 ...28 A1
Lymm High School LYMM WA13 ...29 E3
Lymm Hotel LYMM WA13 ...28 A3
Lymm RFC LYMM WA13 ...28 B5
Manor Industrial Estate WARRS WA4 ...3 K5
Massey Hall School WARRS WA4 ...27 E4
Mill Green Special School NEWLW WA12 ...5 H3
Newchurch CP School GOL/RIS/CUL WA3 ...8 D3
Newton Bank Preparatory School NEWLW WA12 ...5 H2
Newton Community Hospital NEWLW WA12 ...5 E5
Newton Health Clinic NEWLW WA12 ...5 E2
Newton-le-willows Cemetery NEWLW WA12 ...5 G4
Newton-le-willows Community High School NEWLW WA12 ...5 G1
Newton-le-willows Primary School NEWLW WA12 ...5 F3
Newton-le-willows Sports Club NEWLW WA12 ...5 F2
Oakwood Avenue Primary School NEWLW WA12 ...19 E4
Old Hall Primary School WARRW/BUR WA5 ...17 G4
Oughtrington Primary School LYMM WA13 ...29 E2
Our Ladys RC Primary School WARRS WA4 ...3 H7
Paddington House Hotel WARR WA1 ...19 H5
Padgate Business Centre WARR WA1 ...19 H3
Padgate CE Primary School WARRN/WOL WA2 ...19 H2

Padgate Community High School WARRN/WOL WA2 ...19 G1
Padgate Medical Centre WARRN/WOL WA2 ...19 H2
Paerr Hall WARR WA1 ...2 B4
Palace Theatre WARR WA1 ...2 E6
Palatine Industrial Estate WARR WA1 ...2 E6
Parkdale Industrial Estate WARR WA1 ...3 F4
Park Road Primary School WARRS WA4 ...22 B1
Patterdale Lodge Medical Centre NEWLW WA12 ...4 D5
Penketh Business Park WARRW/BUR WA5 ...23 E3
Penketh County High School WARRW/BUR WA5 ...22 C1
Penketh Health Clinic WARRW/BUR WA5 ...22 B3
Penketh Primary School WARRW/BUR WA5 ...22 A3
Penketh South Community Primary School WARRW/BUR WA5 ...22 C4
Penketh Swimming Baths WARRW/BUR WA5 ...22 B2
Penkford School NEWLW WA12 ...4 B4
Pinners Brow Retail Park WARRN/WOL WA2 ...18 C5
Poulton Park Golf Club WARRN/WOL WA2 ...13 H4
Premier Travel Inn WARR WA1 ...3 J4
 WARR WA1 ...21 E5
 WARRN/WOL WA2 ...12 B2
 WARRN/WOL WA2 ...12 D4
 WARRS WA4 ...35 E2
Priestley Business Centre WARRW/BUR WA5 ...24 A1
Priestley Sixth Form College WARRS WA4 ...3 F7
Pyramid WARR WA1 ...2 B4
Quay Business Centre WARRN/WOL WA2 ...12 B5
RAF Burtonwood WARRW/BUR WA5 ...16 D5
Ravenbank Primary School LYMM WA13 ...28 C3
Record Business Park WARRN/WOL WA2 ...18 C5
Risley Moss Nature Park GOL/RIS/CUL WA3 ...15 G4
Riverside Retail Park WARR WA1 ...2 E4
Robson Street Clinic WARR WA1 ...3 G1
Sacred Heart RC Primary School WARRW/BUR WA5 ...23 H2
St Aelreds RC Technology College NEWLW WA12 ...5 G2
St Andrews CE Primary School WARRS WA4 ...12 D5
St Anns CE Primary School WARRN/WOL WA2 ...19 E1
St Augustines Catholic Primary School WARRS WA4 ...25 G2
St Barnabas CE Primary School WARRW/BUR WA5 ...24 A1
St Benedicts RC Primary School WARRN/WOL WA2 ...19 E4
St Bridgets Catholic Primary School WARRN/WOL WA2 ...13 G5

St Elphin Fairfield CE Primary School WARR WA1 ...
St Gregorys RC High School WARR WA1 ...
St Helens Community College NEWLW WA12 ...
St Josephs Catholic Primary School WARRW/BUR WA5 ...
St Lewis's Catholic Primary School GOL/RIS/CUL WA3 ...
St Margarets CE Controlled Infant School WARRN/WOL WA2 ...
St Margarets CE Primary School WARRS WA4 ...
St Marys Catholic Junior School NEWLW WA12 ...
St Marys Catholic School NEWLW WA12 ...
St Matthews CE Primary School WARRS WA4 ...
St Monica's RC Primary School WARRS WA4 ...
St Oswalds RC Primary School WARR WA1 ...
St Paul of the Cross Catholic Primary School WARRS WA4 ...
St Peters Catholic Primary School WARR WA1 ...
St Peter's CE Primary School WARRS WA4 ...
St Philips Westbrook CE Primary School WARRW/BUR WA5 ...
St Stephens Catholic Primary School WARRN/WOL WA2 ...
St Thomas CE Primary School WARRS WA4 ...
St Vincents Catholic Primary School WARRW/BUR WA5 ...
St Weburgh CE Primary School WARRS WA4 ...
St Wilfrids CE Aided Primary School WARRS WA4 ...
Sankey Bridge Industrial Estate WARRW/BUR WA5 ...
Sankey Medical Centre WARRW/BUR WA5 ...
Sankey Valley Country Park WARRW/BUR WA5 ...
Sankey Valley Industrial Estate NEWLW WA12 ...
Sankey Valley St James Primary School WARRW/BUR WA5 ...
Sir Thomas Boteler High School WARRS WA4 ...
Statham Primary School LYMM WA13 ...
Station Road Industrial Estate WARRS WA4 ...
Stockton Heath Community Primary School WARRS WA4 ...
Stockton Heath Medical Centre WARRS WA4 ...
Sycamore Lane CP School WARRW/BUR WA5 ...
Tanning Court Industrial Estate WARR WA1 ...
Thelwall Infant School WARRS WA4 ...
Thelwall Junior School WARRS WA4 ...

...ost Office is a registered trademark of Post Office Ltd. in the UK and other countries.

...ls address data provided by Education Direct.

...station information supplied by Johnsons

...vay street data provided by © Tele Atlas N.V. Tele Atlas

...n centre information provided by

...n Centre Association ☼ Britains best garden centres

...ale Garden Centres 🥦

...tatement on the front cover of this atlas is sourced, selected and quoted
...a reader comment and feedback form received in 2004

Notes